MARIE JAMES

Cyfrol Deyrnged

Marie James

Gol: Myrddin ap Dafydd

Argraffiad cyntaf: Mawrth 1997

Rhif Llyfr Safonol Rhyngwladol:
0-86381-425-5

Clawr: Alan Jones

Argraffwyd a chyhoeddwyd gan Wasg Carreg Gwalch,
Iard yr Orsaf, Llanrwst, Dyffryn Conwy LL26 0EH.
☎ (01492) 642031

'Canys nid marw y mae ond gorffwys
– tra'n bod ni i gyd yn cael ein hanadl.'

Cynnwys

Marie

Prin y gwelir teyrnged iddi yn y *Times* efallai, na'i llun yn addurno tudalen goffadwriaethau'r cyhoeddiad clasurol hwnnw. Nid am na welwyd yno erthyglau blodeuog iawn i rai llai eu doniau – a gwelwyd salach lluniau hefyd o ran hynny – ond am ei bod yn un o'r blodau prin hynny a dreuliodd ei hoes i gyfoethogi ei milltir sgwâr hi'i hunan. Ni fedrai, ac ni ddewisai ddim arall.

Peth anodd, a pheryglus ddigon, yw manylu ynghylch oedran merched – yn ystod eu hoes beth bynnag – ond mae'n rhaid ei bod yn tynnu at ei hanner cant pan gwrddais â hi gyntaf. Ac rwy'n dychmygu'i chlywed yn chwerthin yn braf yn awr am fy nhipyn ffwdan yn ceisio dod o hyd i ryw bum can gair fel hyn i'w chloriannu'n deilwng. Pum can gair! I rywun y byrlymai miloedd ohonynt o'i gwefusau bob dydd o'i hoes!

A'r fath eiriau! Yn goeth, yn ddigamsyniol Gardïaidd a Chymreig. Yn wir, pe gofynnai rhywun i mi awgrymu patrwm o'r modd i lefaru'n hiaith ni byddai hi, gyda Jennie Eirian a Cassie, ar ben y rhestr. Ynganai bob llafariad fel pe bai'n ddiferyn o aur, gan flasu'r sain ac arddangos ei wychder yn ei holl ogoniant. Fel ym mhopeth arall yn ei chylch, roedd yn falch ohonynt, a dangosai hynny.

Arferem ryw dynnu'i choes ynglŷn â sillafiad estron ei henw, a'r bisgedi enwog hynny, wrth gwrs, yn jôc barod rhyngom. Medrai'n ddigon hawdd fod wedi'i Gymreigio'n Mari, fel y gwnaeth llawer un llai arbennig na hi. Neu ei Seisnigo'n Mary, ond ni wnaeth, a dyna'r union bwynt. Roedd hi'n ddigon saff yn ei Chymreictod, yn ddigon hyderus yn ei hunigoliaeth ei hun, fel nad oedd angen am hynny. Y cam cyntaf i ennill parch pobl eraill yw eich parchu'ch hunan. O bosib hefyd ei bod yn datgan ei hymlyniad i'r ethos Ewropeaidd yn hytrach na'r Prydeinig.

Roedd hi'n ymgorfforiad perffaith o'r gred bod llawysgrifen rhywun yn adlewyrchu'i gymeriad. Roedd yn bleser gweld tudalen o'i llaw, heb sôn am ei darllen. Yn lân, yn ddestlus, yn gymesur ac yn eglur. A chyn huotled â hi'i hunan. Parch eto. Fe'i nabyddwn ym mhig y frân.

Ni synnwn, chwaith, iddi wneud cymaint dros achos merched â llawer un o'n ffeministiaid mwy ymosodol. Nid dweud a wnâi, ond dangos. Cymerodd at yrru bws pan nad oedd yn beth arferol i ferch wneud hynny. Rhedai, gyda Dai'i gŵr, fusnes a gyfoethogai'i hardal a thrwy hynny gwnâi rywbeth mwy ymarferol na siarad am wella'r economi leol. Yn ogystal â hyn, cadwai'r Swyddfa Bost a chyflawnai'r cant a mil o alwadau cyngor, capel ac adloniant y mae eraill yn fwy cymwys na mi i sôn amdanynt.

Edrychai'n ôl i hen hanes ei chenedl gyda'r un balchder ag yr edrychai ymlaen i'w dyfodol, ac ymgorfforai'r ddau. Roedd yn anrhydedd cael ei hadnabod.

Maen nhw'n dweud fod Marie yn galler
Tynnu anal ar fore dydd Mercher,
A siarad â'i hunan
Am dri diwrnod cyfan,
A'i ollwng e mas ar ddy' Gwener.

Y gadwrus wraig dirion, – a'i huodledd
Fel ffrydlif yr afon,
Sy'n cynnal yr ardal gron,
A'i choledd yn ei chalon.

Ym mhob gŵyl ac ym mhob gwaith, – mae'n ei nef,
Mae'n ei wneud ag afiaith,
Rhyw hwyl fawr ar lafurwaith,
Ysgwyddo'r dasg iddi yw'r daith.

Mae'n angor a chynghorydd, – yn Fari'r
Forwyn ac arweinydd,
Yn nhai Gwalia bwygilydd
Un o siort Marie Jâms sydd.

Marie ddoeth, Marie ddethe, – Marie lew
Marie lawn storïe,
A'i phopeth yn y Pethe,
Marie yw hon, Mari-e.

Dic Jones

Englynion Teyrnged i Marie
(Theatr Felin-fach, 17 Hydref, 1980)

Mawrygwn Mari Iago, – hi fatriarch
    Dafotrwydd Llangeitho;
  Yn Felin-fach, cyflawn fo
  I hon ein teyrnged heno.

Heno cawn glywed hanes – am ei hynt,
    Ramantus Gymreiges,
  Ni fu erioed fwy o res
  O ddoniau gan un ddynes.

Dynes â'r lle'n dihuno – ar unwaith
    Lle ceir hi'n perfformio,
  Ei thonig uniaith yno
  Mor ddifyr nes tynnu'r to.

Tynnu'r to wna hi â'r tân – yn ei llef,
    Heulwen llys a llwyfan,
  Weithiau ar goedd ffraeth yw'r gân
  A dyrr o'i thafod arian.

Tafod arian gwasanaeth, – a hwnnw
Bron o dan reolaeth,
I'r ddi-hid oes ddi-wraidd daeth
I hyrwyddo llyfryddiaeth.

Llyfryddiaeth nid llafur iddi – yw hynny,
Ond mwyniant hyfforddi,
Â'i holl nerth, trin llên wrthi
A thwym o hyd ei thîm hi.

Y mae hi (a bydd mi wn) – â'i henaid
Dros yr hyn a garwn,
Fenyw graff ar fin y grwn,
Rhagot, dy gwys fawrygwn.

Tydfor

Ar ei thalar

Grwn y gymdeithas

Pan own i'n grwt yn yr ysgol fach yn Llanfihangel-y-Creuddyn roedd 'na un diwrnod mawr ar galendr y plwyf, sef y preimin aredig blynyddol a hysbysebid fel *'A Grand Ploughing Match and Hedging Competitions'*. Hysbyseb uniaith Saesneg mewn ardal uniaith Gymraeg! Denai'r preimin hwn gystadleuwyr o bell ac agos. Rheswm da am hynny. Yn efail y gof lleol y cynlluniwyd ac y cynhyrchwyd un o'r erydr gore i naddu cwys erioed, sef aradr fain William y Gof. Gwisgai ei henw yn falch ar ei chastin – 'William J. Evans, Llanfihangel-y-Creuddyn'. Hi oedd dewis cyntaf y rhan fwyaf o aradwyr.

Chware teg i'r sgwlyn, gollyngai ni o'r ysgol amser cinio a rhoi caniatâd i ni fynd i'r cae preimin. Roedd llawer i'w weld ac i'w ddysgu yno. Ceffyle wedi eu gwisgo'n hardd – y mwng a rhawn y gloren wedi eu plethu â rubanau lliwus, pob darn arian wedi ei sgleinio'n loyw, clychau bach ar gorn pob ffrwyn a'r rheiny'n canu wrth i'r ceffyle symud nes bod gyda chi gymanfa o synau yn llenwi'r lle. Diwrnod i arddangos dawn oedd hi.

Lawer tro ar y dalar clywais glystyrau bach yn

sibrwd, 'Ma' hi'n dda yma heddi, y goreuon wedi dod. Bydd yna gystadlu twym. Daeth Winstanley, y Fronfraith, Capel Dewi . . . '

Gŵr a gipiai gwpanau afrifed oedd Winstanley. Edrychid arno braidd yn amheus yn Llanfihangel oherwydd defnyddiai aradr ddieithr, rhyw *Ruston Hornsby* os da y cofiaf. Mentrai yn arw ddod â honno i diriogaeth William y Gof!

'Odi, ma' John Jones, Bryncipyll yma,' ac yr oedd rhyw arswyd trwy'r greadigaeth wrth ynganu ei enw. Cystadleuydd peryglus. Gŵr y *Champion Class* ac un anodd sobor i'w drechu. Ei ddewis aradr o hyd oedd aradr fain William y Gof. I'r ardalwyr roedd hynny yn plesio. Beth oedd pwynt llusgo aradr o bant pan oedd un gystal, os nad rhagorach, yn y plwyf?

Un o deulu Bryncipyll oedd Marie James. Ei thad, Dafydd Jones, Tal'rynn yn frawd i John Jones. Chlywes i ddim iddi fod rhwng dau gorn aradr erioed, ond pe bai galw am hynny, gallai naddu cwys, heb os. Roedd hi'n glamp o fenyw. Ond dewis aredig grynnau eraill a wnaeth hi, ac ennill bri a chlod am ei champ ar y grynnau rheiny. Yn ei maes roedd hithe yn un o wŷr y *Champion Class*. Wrth gyflwyno iddi Fedal Goffa Syr T.H. Parry-Williams am gyfraniad i fywyd bro, cyhoeddi wnaeth y genedl ei bod wedi trin ei grwn â graen a chrefft.

Rhyw loetran ar y dalar wnaf i yn awr a chraffu ar y grynnau lle bu hi'n gweithio. Rhaid rhoi'r flaenoriaeth i Lwynpiod. Does neb wedi nabod Marie yn iawn os na welsant hi'n trin y grwn hwnnw. Capel bach yng nghefen gwlad Shir 'Berteifi yw Llwynpiod. Dim ond capel a thŷ capel sydd yno. Ar ei dalcen ma' carreg goffa i Kitchener Davies a fagwyd gerllaw, ond sydd a'i hen gartre erbyn hyn yn furddun. Grwn tebyg i rynnau capelol eglwysig eraill gaech chi yn Llwynpiod, 'yn gymysg oll i gyd.' Licris Olsorts go iawn!

'Na i chi Miss Elsie Jones, Pentrepadarn. Hen ferch ffyddlon ond traddodiadol, megis ag yr oedd yn y dechrau – dim newid. Roedd hi'n dueddol o chwythu ei ffiws ar dro. Yna, Dave Trewaun. Cerddor ifanc, dawnus a gollwyd yn rhy gynnar, a hiraeth mawr amdano o hyd. Fe oedd yn canu'r organ pan oedd ar gael. Llusgo canu wnâi'r saint i Dave a gwnâi yntau ei orau i roi tipyn o wmff yn y gân, ond mae'n sobor o anodd rhoi cic yng nghanu'r saint! Rhyw nos Sul gwnâi Dave ei ore i'w symud, ac yr oedd galw am ddyblu'r gytgan â'r gair 'tragwyddoldeb' yn hwnnw. Dyma Miss Jones yn torri ar draws y canu ac yn gweiddi ar Dave:

'Dave, Dave. Os cei di dy ffordd dy hun, tragwyddoldeb byr iawn fydd e!'

Dyna rwn Marie James. Roedd hi yn eu nabod ac yn gwybod sut i'w trin. Toc wedi'r cwrdd diolch am y cynhaeaf fe'i gwelech yn dod o dan ei baich o lyfrau. Daeth yn adeg paratoi ar gyfer y cwis llyfrau. Un o syniadau cynhyrfus y llyfrgellydd unigryw, Alun R. Edwards oedd y cwis. Mynnai hybu darllen llyfrau Cymraeg. Cadd enaid hoff cytûn ym Marie James. Ar ddiwedd yr oedfa rhannai gyfrol i hwn ac arall, ambell un yn cael dwy neu dair. Ni chofiaf neb yn gwrthod. Er mai dim ond rhyw ddeugain o aelodau oedd yn y capel, roedd y mwyafrif llethol ohonyn nhw yn darllen ac yn perthyn i grŵp. Marie a drefnai pryd a ble i gwrdd, a'r cyfarfodydd yn reit gyson yn y Swyddfa Bost yn Llangeitho.

Cofiaf yn dda iddi estyn *Afal Drwg Adda*, Caradog

Prichard, i mi a'r wraig. Ymhen rhyw wythnos dyma hi'n rhoi yn fy llaw lawysgrif swmpus.

'Wedi dethol ychydig o gwestiynau ac atebion i'ch helpu.'

'Diolch,' meddwn yn ddidaro ddigon. Pan edrychais ar y llawysgrif a gweld maint y gwaith a gyflawnodd, ys dywed pobl Rhydaman – bûm bron â chael haint! Yn ddigelwydd roedd pum cant o gwestiynau gydag atebion llawn. Y gwir amdani oedd nad oedd angen darllen y llyfr o gwbl! Pe bai rhywun yn meistroli'r cwestiynau a'r atebion a ddetholodd gallai dyn gipio pob llawryf!

Y cwestiwn a ofynnaf o hyd ac o hyd yw, ble cadd y wraig brysur hon yr amser i neud y fath swm o waith? A chofiwch, fe wnâi hyn i bob darllenydd ac i bob llyfr, o leia ddeg ar hugain ohonynt. Camp anhygoel. Rhaid ei bod yn llosgi'r gannwyll y ddau ben. Y canlyniad oedd fod Llwynpiod yn rhagori yn flynyddol yn y cwisiau hyn. Roedd hi'n anodd iddynt beidio. Heb os, roedd lefel diwylliant y capel yn uwch na'r un eglwys arall yn y sir, os nad yng Nghymru gyfan. Dyna i chi beth oedd trin grwn.

Fydde Marie James fyth yn colli'r Ysgol Sul. Roedd y sefydliad yn bwysig tu hwnt yn ei golwg ac fe'i gwasanaethodd gyda ffyddlondeb ac egni. Dosbarth o blant oedd gyda hi, a'r rheiny yn dwli arni. Ar y pryd, roedd 'na deulu mawr yn aelodau yn y capel. Gwerthfawrogai Marie y cyfle i fod y fam yn ymdrechu ymdrech deg i weld bod y rhain yn ffyddlon i'r dosbarth. Rhyw fore Sul yn y mis bach, bore oer, rhewllyd, gwynt traed y meirw yn chwipio chwain ar y ddôl islaw'r capel, dyma Marie yn dweud wrth ei dosbarth helaeth,

'Rydych chi'n dod gen i i Langeitho i ginio.' Wrth gwrs, roedd llawenydd mawr. Llwythodd y deuddeg i'w char mawr ac i ffwrdd â nhw i'r Swyddfa Bost. Yno, roedd Dai wedi bod yn tendio llond crochan o gawl Cymru drwy'r bore a'i gael i'r berw erbyn y deuai Marie o'r capel. Dyma estyn basn i bob un a phawb yn dod yn eu tro at y crochan i gael ei lond o gawl maethlon, twym, gyda chwlffyn o gaws a thafell o fara. Llond bol o'r stwff reit ar fore oer. Nid torri bara'r bywyd yn unig a wnâi Marie, eithr rhannu bara beunyddiol, a'i rannu'n hael a hwyliog. Y bore hwnnw, 'Y Gair a wnaethpwyd yn gawl,' a gwelodd y plant ogoniant yr un y bu eu hathrawes yn ei gymeradwyo yn y dosbarth. Dyna'r wyrth yn y Post – troi'r cawl yn gymun. Ond 'na fe, un fel'na oedd Marie James.

Rhyw brynhawn cyn y Nadolig, dyma nhw'n penderfynu cau yn gynnar. Stablo'r bysiau, troi'r clo yn nrws y Swyddfa Bost a'i throi hi am Bentre'r Eglwys ger Pontypridd, lle'r oedd eu hunig ferch a'i theulu'n byw. Erbyn cyrraedd Trecastell daeth chwant paned o de arnynt, ac isie sbel gan eu bod wedi blino oherwydd rhuthr y dyddie gwyllt cyn y Nadolig. Bryd hynny, roedd 'na dŷ bwyta ymyl-y-ffordd cyn cyrraedd Trecastell. Dyma nhw'n troi i mewn iddo, ond doedd neb yno. Yn wir, doedd fawr o neb ar y ffordd. Roedd hi mor dawel â'r bedd. Dyma Marie yn sylwi ar rhyw ddrychiolaeth yn ymsymud yn y gwyll a golwg wyllt, ddryslyd arno. Wedi hir graffu dyma hi'n ei adnabod a galw,

'Dafydd! Chi sy' 'na, Dafydd Meils?'

'Ie, chi'n iawn. Fi sy' 'ma!'

'Be sy'n bod Dafydd bach? Ma' golwg ddryslyd iawn arnoch chi.'

'Rydw i mewn picil, odw wir.'

'Pa fath o bicil!'

'Rydw i wedi bod gyda Bethan ym Mhontypridd ac ma' 'nghar i wedi diffygio tu fas i'r pentre 'ma. Does 'na'r un garej ar agor a dyw'r AA ddim isie gwybod. Rwy'n llythrennol ar dir neb. Rwy'n becso am Charlotte ym Mhlas Hendre, ma' hi'n fy nisgwyl.'

'Pidwch â phoeni, fe helpwn ni chi.'

'Be 'ych chi'n ei feddwl?' Ac meddai Dai,

'Fe glymwn eich cerbyd wrth hwn sy' 'da ni, ac fe'ch llusgwn ni chi i Aberystwyth!'

'Newch chi ddim? Alla' i ddim credu!'

'Dewch, awn at eich cerbyd.'

Fe glymwyd y car a'i lusgo i Blas Hendre, a chyflwyno Dafydd Meils i Charlotte. Dyma Dai a Marie wedyn yn troi'n ôl am Bontypridd, wedi blino'n gec mae'n siŵr, a hithau bellach yn hwyrhau. Dameg y Samariad Trugarog ar y ffordd rhwng Trecastell ac Aberystwyth! Ond 'na fe, rhai fel'na oedd y ddau.

Ar ddiwedd y prynhawn yn y preimin aredig ers talwm, gyda'r nos yn ddistaw gau amdanom, fe welech y dyrfa yn crynhoi o gwmpas rhyw gambo neu gert. Daeth awr y dyfarnu. Pawb yn glustie i gyd. Y beirniaid answyddogol wedi hen benderfynu pwy oedd ar y brig. Wedi cyhoeddi'r canlyniadau fe welech rai dyrneidiau yn dychwelyd i gael cip pellach ar y grynau a gipiodd y llawryfon, er na fedren nhw weld llawer yn y tywyllwch. Rhyw fath o feirniadu'r beirniaid oedd hyn! Un a gipiai y brif wobr yn gyson oedd John Jones, Bryncipyll, ewythr Marie James. Wrth lygadu, rhai yn ei longyfarch a sôn am raen ei grefft. Ei ymateb tawel o hyd oedd,

'Roedd gen i bâr o geffyle da. Y gaseg a gerddai'r

rhych fel pe'n synhwyro na ddylai gyffwrdd â'r gwys a orweddai winfedd neu ddwy o'wrth ei charn, byth yn cleisio'r gwys. Bûm yn ddigon ffodus i gael grwn da. Ma' lot o lwc yn y busnes 'na, ma' grynau yn amrywio o fewn yr un cae. Fe ellwch gael rhai â'r graig yn agos i'r wyneb, ond roedd hwn heddi yn naddu fel afu. Ar y cyfan, roedd hi'n ddiwrnod da o gofio mai mis bach yw hi. Ma'r ceffyle'n gweithio'n well pan fo'r tywydd yn garedig.'

O'i glywed yn siarad fe allech gredu nad oedd gydag e fawr o ran yn y gamp. Eto, gwyddai pawb a wyddai rywbeth am naddu cwys mai'r gŵr rhwng dau gorn yr aradr oedd y gyfrinach. Fe oedd â'r leiniau yn ei law, a'i gyffyrddiadau ef a benderfynai i ba gyfeiriad yr âi'r ceffyle gwedd. Fe oedd yn gwybod pryd oedd galw am bwyso ar ddau gorn yr aradr i naddu'n ysgafnach, neu i bwyso ar y castin i sodro'r gwys yn dynn ar y gwys o'i blaen. Fe oedd yr athrylith a glymai yr holl elfennau ynghyd a'r gwaith gorffenedig yn tystio'i athrylith. Wrth gerdded y grwn a gafodd ei drin gan Marie James yn Llwynpiod a Llangeitho, mynnai o hyd dalu teyrnged i bobl Llwynpiod a'r cylch:

'Fe wnân nhw unrhyw beth ond ichi ga'l llaw arnyn nhw.'

Credai iddi fod yn ffodus yn y grwn a gadd i'w drafod. Dysgodd gan ei thylwyth pa mor bwysig oedd yr aradr a bod ei gosod yn iawn yn rhan o'r gyfrinach. Rhaid oedd cael sglein ar yr offer. Dysgodd na chewch chi gwys lân os oes rhwd ar eich erfyn. Wrth gerdded y dalar a sylwi ar y grwn a adawodd, fedr neb ddweud fel y bydden nhw'n dweud am ambell un ar gae preimin,

'Twrio nath hwn.' Thwriodd hi ddim. Roedd crefft a chymeriad i'w gwaith. Mae gen i syniad pan fydd y

Beirniad terfynol yn esgyn i'w gambo y bydd E'n cyhoeddi bod hon yn un o wŷr y *Champion Class*.

Pan oedd gwŷr gyrru'r wedd yn dilyn eu ceffyle i aredig neu lyfnu doedden nhw fyth yn unig. Ys dywed Dafydd ap Gwilym, 'Gwylanod y môr a ddon filoedd.' Byddai adar o bob math yn disgyn ar y grwn i chwilio am gynhaliaeth, a chaent eu gwala a'u gweddill. Bydd cenedlaethau'n disgyn ar rwn Marie James ac yn cael cynhaliaeth. Fe gânt fwyd i'w diwylliant.

Un peth sydd bwysig i'w hetifeddion yw gofalu na ddigwydd i'w grwn hi yr hyn a ddigwyddodd i 'Ros Helyg' B.T. Hopkins, ei chymydog:

> Lle bu gardd, lle bu harddwch,
> Gwelaf lain a'i drain yn drwch,
> A garw a brwynog weryd,
> Heb ei âr a heb ei ŷd.

Dyna fyddai trychineb. Ond onid hyfforddodd Marie ddigon o ddisgyblion i gadw'r grwn yn lân?

Grwn y bywyd cyhoeddus

Treuliodd Marie flynyddoedd yn gwasanaethu hen Gyngor Sir Aberteifi, a phan grewyd Dyfed, etholwyd hi i gynrychioli ei hardal ar y cyngor newydd. Er iddi gael blynyddoedd cymharol hapus ar hen Gyngor Sir Aberteifi, buan y dysgodd mai grwn gwahanol iawn oedd hwn i'r un y bu'n ei drin yn ei chymdogaeth hi ei hun. Do, fe ddaeth ar draws ambell garreg a chraig yn Llwynpiod a Llangeitho, ond roedd natur y grwn hwn yn llawer garwach ac angen hogi'r cwlltwr yn amlach o lawer am ei fod wedi ei ergydio'n galed gan gerrig cuddiedig.

Ond teimlai fod cynghorwyr Sir Aberteifi o'r un brethyn â hi. Gwladwyr oeddynt gan mwyaf, a'r rheiny a gynrychiolai'r dre â'u gwreiddiau yng nghefen gwlad. Mynnent mai annibynwyr oeddent mewn gwleidyddiaeth. Clogyn oedd y label hwnnw i guddio Rhyddfrydwyr Traddodiadol, a'u rhyddfrydiaeth yn beth digon llesg a diwerth. Glynu wrth y label am ei fod yn y gwaed ers cenedlaethau, wedi llifo yno cyhyd nes ei fod mor denau â dŵr. Gwir fod y label yn cuddio ambell Dori. Yr unig adeg y dangosai'r rhain eu lliwiau oedd adeg etholiad. Byddai'r Tori eglwysig, fel rheol, yn cefnogi clamp o Sais na wyddai yr un dim am Gymru, a llai o ddiddordeb na hynny yn y sir y dymunai ei chynrychioli. Llwyddai'r Rhyddfrydwyr i gael Cymry da, mewn enw beth bynnag. Gwyddai Marie am y brid hwnnw. Fe'i magwyd yn eu plith a daeth i ddeall mai gwantan iawn oedd eu cyfraniad i Gymru, yr iaith a'r diwylliant. Yn wir, er eu bod ar y Cyngor Sir yn Aberaeron yn cynrychioli ardaloedd uniaith Gymraeg, mynnent bwlffacan siarad yn gyhoeddus mewn Saesneg clapiog iawn. Dyna oedd tystiolaeth y diweddar Barchedig Fred Jones, Tal-y-bont pan ymunodd e â'r Cyngor fel aelod Plaid Cymru, a mynnu siarad Cymraeg. Cadd ei siâr o ddirmyg gan Gymry a ddylai wybod yn well.

Rhag bod yn rhy llawdrwm roeddent yn barod i gefnogi arweiniad gweledigaethus. Pan gyflwynodd Alun R. Edwards, y llyfrgellydd, ei fwriadau mentrus, arloesol, cafodd gefnogaeth deilwng iawn chwarae teg, pan roddodd Cyngor Sir Aberteifi faniau llyfrgell ar y ffordd i gario llyfrau i'r wlad. Yr oedd cynlluniau Alun

R. Edwards wrth fodd Marie, a gwnaeth fwy na neb i'w hyrwyddo drwy gefnogi y cwis llyfrau blynyddol.

Ond ni allai hi gamu i'r byd gwleidyddol o dan glogyn diystyr annibyniaeth. Câi ei chysylltu â phleidiau nad oedd ganddi fawr o barch tuag atynt wrth wneud hynny – pleidiau Seisnig yn y bôn a'u teyrngarwch cyntaf i Lundain. Nid o'r fan honno y deuai ein hiachawdwriaeth, yn ei thyb hi. Roedd 'na ddylanwadau wedi bod arni. Edmygai Kitch a darllenai ei lyfrau gydag awch. Yn wir, adroddai ddarnau helaeth o'i ddrama fydryddol *Meini Gwagedd* oddi ar ei chof, a daeth *Sŵn y Gwynt sy'n Chwythu* yn fara beunyddiol iddi.

Ffrind agos iddi oedd Cassie Davies. Ni bu genedlaetholwraig fwy brwd. Er iddi gael ei chodi yn arolygwr ysgolion ni lwyddodd y dyrchafiad hwnnw i ddiffodd ei chenedlgarwch, ac yn y berthynas rhwng Marie a Cassie fe hogwyd ei hathroniaeth wleidyddol.

Edmygai Marie Jacob Dafis. Bu'n cyd-weithio ag e ar 'Penigamp' ac yn canfasio drosto pan y'i gwrthodwyd gan ei ardal. Teimlai hi, fel llawer un arall, iddo gael cam enfawr. Teimlai yntau hynny. Ond wedi'r digwyddiad yna doedd dim angen dweud wrthi pa mor anodd oedd y dasg a'i hwynebai wrth fentro i'r bywyd cyhoeddus yn enw Plaid Cymru. Mae un peth yn weddol siŵr, nid un i ffeirio ei chred am sedd ar unrhyw gyngor mohoni. Ni werthai ei hargyhoeddiad am fasned o gawl. Chadd hi ddim trafferth i gipio'r sedd. Cerddodd i'w gorsedd yn fuddugoliaethus. Bron na ellir dweud ei bod yn anorchfygol, wel, mor anorchfygol ag y gall neb meidrol fod. Gwyddai pawb fod y Blaid wedi cael yr ymgeisydd delfrydol. Cipiai Marie James sedd i'r Comiwnyddion yn Sir Aberteifi, heb os! Ei chymeriad cryf, ei hynawsedd, ei haelioni a'i hiwmor – y nodweddion yna a oedd mor amlwg yn ei bywyd oedd cyfrinach ei llwyddiant, a diau fod yna rai a oedd yn edmygu ei pharodrwydd i ymladd yn ei lliwiau ei hun, ac nid chwarae mig gyda rhyw label diystyr, diwerth. Aeth yn ôl yn gyson hyd nes iddi ymddeol.

Newidiodd natur y grwn yn ddirfawr wedi iddi symud i Gyngor Sir Dyfed. Collwyd yr agosatrwydd a'r adnabyddiaeth bersonol, oherwydd roedd Dyfed yn anferth o beth yn ddaearyddol. Gwelodd fod gwleidyddiaeth plaid yn amlycach o dipyn ar y Cyngor Sir hwn a bod democratiaeth yn medru bod yn beth digon rhyfedd, a dweud y lleiaf. Nid ar lawr y Cyngor y gwnaed penderfyniadau mawr, eithr mewn cawell cuddiedig, a doedd gyda chi mo'r cyfle i ddadlau â'r rheiny. Buan y deallodd ei chyfaill, Alun R. Edwards, ei fod yn ceisio dofi anifail gwahanol wedi iddo symud i Gyngor Sir Dyfed, a bod yr anifail hwn yn styfnig ac yn gallu cicio'n gas. Ni newidiodd ddim ar ei fwriadau a'i gynlluniau serch hynny. Mynnai ymestyn yr hyn a ddechreuodd yng Ngheredigion, ond buan y cadd wrthwynebiad. Ystyrient fod ei amcanion Cymraeg a Chymreig yn ymgais lechwraidd i hyrwyddo Plaid Cymru, a dyna'i diwedd hi i'r Llafurwyr cibddall. Credaf iddynt dorri calon y dewr Alun a chyfrannu at dorri ei iechyd, ac am hynny mae'n goblyn o anodd maddau i Lafurwyr Dyfed. Deuai Marie tu thre i Langeithio ambell noson wedi ei chleisio'n ddrwg; yr aradr y gosododd ei llaw arni wedi taro clamp o garreg a hithau wedi ei chlwyfo gan rym yr ergyd. Ond diolch i'r drefn, roedd 'na wytnwch ynddi. Gallai ymladd a pharhau i ymladd a gwnâi hynny gyda gras a boneddigrwydd, a thrwy rym ei phersonoliaeth hael gallodd ennill aml un gwrthwynebus i wrando arni, os nad i bleidleisio drosti.

Gwyddai yn iawn am natur wrthnysig y grwn cyn iddi blannu ei haradr yn y ddaear. Onid oedd stori Gwynfor Evans yn wybyddus i bawb. Fe'i anwybyddwyd, fe'i difenwyd, fe'i bychanwyd; mae'r hyn a wnaeth Dyfed i Gwynfor yn warth oesol. Fe gewch yr hanes yn llawn yn ei hunangofiant, *Bywyd Cymro*. Rwy'n mentro dyfynnu darn er mwyn dangos y grwn y dewisodd Marie James ei aredig, neu geisio ei aredig:

> Digwyddais i fynd ar y Cyngor pan gafodd y Blaid Lafur reolaeth yn eu dwylo am y tro cyntaf . . . Nid oedd Douglas Hughes na'r Blaid Lafur yn gwybod sut oedd trin cenedlaetholwr. Gwyddent yn iawn beth i'w wneud â Thori neu Ryddfrydwr torïaidd. Gwnâi'r sloganau arferol mwyaf llwm y tro iddyn nhw. Y peth hawsaf oedd galw pawb a wrthwynebai'r Blaid Lafur yn Dori; label torïaidd a roed arnaf i . . . a oedd yn fwy radical na neb ohonynt. Nid yn unig yr oeddwn yn Dori, eithr yr own yn Dori cul. Dyna yw pob cenedlaetholwr yn llyfr y Llafuryddion, tra eu bod nhw yn gydwladol ac yn eang eu bryd. Heb fod yn ymwybodol o gwbl o'u cenedlaetholdeb Prydeinig rhonc eu hunain. Cymerent arnynt gasáu pob cenedlaetholdeb gan filain wrthwynebu pob ymdrech i sefydlu ac ennill safle i Gymru mewn byd cydwladol. Hanfod eu cenedlaetholdeb oedd claddu'r genedl Gymreig yn Lloegr fel rhan ohoni.

Ac fe â yn ei flaen:

> Gyda threigl y blynyddoedd cynyddodd gwrth-gymreictod y Blaid Lafur. Ar adegau roedd yn anhygoel. Er enghraifft derbyniaswn wahoddiad gan y W.E.A. i roi darlith ar Hanes Cymru i athrawon yng nghanolfan y Pwyllgor Addysg yng Nglanyferi. Mewn cyfarfod o'r pwyllgor hwnnw cododd aelod ar ei draed i achwyn yn sobor iawn fod adeiladau'r Cyngor Sir yn cael eu defnyddio i amcanion plaid wleidyddol arbennig. Enghraifft arall oedd y cyrsiau gwych ar gyfer disgyblion y chweched dosbarth a drefnwyd yn y Cilgwyn, Castellnewydd Emlyn gan arolygwyr ysgolion ysbrydoledig fel Cassie Davies a J.D. Powell. Poenai hyn y Blaid Lafur yn ofnadwy. Cododd Douglas Hughes mewn cwrdd o'r Pwyllgor Addysg i ddatgan bod y cyrsiau hyn yn y Cilgwyn yn 'nythleoedd cenedlaetholwyr' a'u bod yn cael eu camddefnyddio gan 'aelodau plaid arbennig' i drwytho'r disgyblion mewn cenedlaetholdeb gwleidyddol. Oni cheid gwared â'r athrawon, meddai, byddai raid i Sir Gaerfyrddin wrthod ei chefnogaeth i'r cyrsiau a gwrthod caniatáu i blant y sir fynd iddynt. Cafodd y Blaid Lafur ei ffordd.

Gwn yn dda am beth y sonia Gwynfor, oherwydd yn y cyfnod hwnnw roeddwn i'n weinidog yn y Betws, Rhydaman. Ardal lafurol iawn. Gwelais innau wir natur Llafur yn y cyfnod hwnnw, a does ronyn o amheuaeth gen i erbyn hyn nad yw Llafur yn ei hanfod yn elyniaethus i Gymreictod. Maen nhw'n iawn wrth dipyn o Gymreictod diniwed, Cymreictod y Cymmrodorion, ond unwaith yr ewch chi ymhellach na hynny, bydd cŵn Gehenna y Blaid Lafur ar eich gwarthaf. Cofiaf yn dda am fwriad i sefydlu ysgol Gymraeg. Bu'r gwrthwynebiad o du'r Llafurwyr yn gwbl afresymol. Eto, ystyrient y bwriad yn ffordd slei o sefydlu cenedlaetholdeb yn y fro. Rwy'n fodlon dweud un peth herfeiddiol – credaf mewn cael Senedd i Gymru, ond gresynaf ei gweld yn dod, oherwydd Llafur fydd y mwyafrif arni, a Duw a helpo Cymru a'r Gymraeg o dan arweiniad y cyfryw rai. Ni raid ond cyfeirio at yr hyn a ddigwyddodd i'r refferendwm yn 1979 i wybod beth yw natur a greddf y Blaid Lafur. Gelyn Cymru a Chymreictod fu hi, ac yw hi.

Tebyg y gallech chi ddweud mai Pleidreg ddiwylliannol oedd Marie. Dyna oedd y mwyafrif yn ei chyfnod hi. Diddordeb ysol yn y Gymraeg a'i pharhad, hybu addysg Gymraeg ar bob lefel, ei gwneud hi'n hawdd a hwylus i'r gweisg gyhoeddi rhagor o lyfrau Cymraeg a chefnogi pob ymdrech i gael y llyfrau hynny i ddwylo'r werin. Nid nad oedd y to yma yn sylweddoli yr angen am hunanlywodraeth ac mai'r unig ffordd i hyrwyddo Cymru a'r Gymraeg oedd cael yr awenau i'n dwylo ni ein hunain. Mae arnom ddyled enfawr iddynt, rhai fel hi a Gwynfor a Hywel Teifi a chenedlaetholwyr eraill ar Gyngor Sir Dyfed. Nhw ddioddefodd y sarhau, nhw fu'n gocyn hitio i rai llawer llai galluog a medrus na nhw. Mae'n warth tragwyddol i Gyngor Sir Dyfed na ddefnyddiwyd y doniau oedd gan y cenedlaetholwyr i'w cynnig. Ry'n ni i gyd yn dlotach oherwydd y cibddallineb hwnnw. Pa frwydr bynnag y bu Marie ynddi, ni chwerwodd, ni ddantodd. Hawdd synhwyro bod pennill un o'i hemynau wedi llifo o'i phrofiad:

Yr Aramaeg, hen iaith dy wlad
Oedd ar dy fin yng ngweithdy'th dad,
A rhoddaist urddas, er pob cam
Ar drysor drud hen iaith dy fam;
O! nertha ninnau ar ein taith
Rhag bradu trysor gwiw ein hiaith.

Ar ddiwedd y dydd, diolchwn iddi am beidio â gwneud yr hyn a wnaeth Winstanley, y Fronfraith, pan ddaeth ag aradr Seisnig i droi daear Shir 'Berteifi, pan oedd 'na un well, un fwy addas o fewn y Sir. I Marie, dyna'r ateb. Fedrech chi ddim rhagori ar yr aradr a luniwyd yng ngwres ysgol Penyberth a honno yn cario ar ei chastin enwau'r tri gŵr glew a'i saernïodd – Saunders Lewis, Lewis Valentine a D.J. Williams. Roedd yr aradr honno wedi ei gwneud gan wŷr oedd yn adnabod daear Cymru, ac i Marie, fel i laweroedd eraill, doedd dim rhinwedd o gwbl mewn cydio yn nau gorn aradr a wnaed yn Lloegr tra bod 'na un well, un frodorol ar gael yng Nghymru. Gellir dweud amdani, wedi oes o aredig ar rwn byd cyhoeddus digon garw a gwrthnysig ar dro, unwaith y gosododd hi ei llaw ar yr aradr, nid un i edrych o'i hôl mohoni. Bu farw rhwng dau gorn yr aradr y credodd ynddi, a heb os, byddai wedi ei chalonogi'n fawr pe clywai Cynog Dafis A.S. yn dweud yn y cwrdd diolch am ei chyfraniad yn Llangeitho ar Ragfyr 5ed, 1995 na fydde fe ddim ble'r oedd e oni bai amdani hi, a rhai tebyg iddi. Unwaith eto, 'eraill a lafuriasant a ninnau a aethom i mewn i'w llafur hwy.' Mae'n galondid i wybod nad yw'r aradr Gymreig y credodd hi ynddi yn casglu rhwd wrth fôn clawdd ond yn cael ei defnyddio ledled Cymru y dyddiau hyn.

Grwn adloniant

Wedi i Marie orffen ei chwrs mewn llaethyddiaeth yng Ngholeg y Brifysgol, Aberystwyth, cafodd swydd yn ei bro ei hun. Fe'i cyflogwyd gan y ffatri laeth ym Mhontllanio, a honno'n brysur iawn ar y pryd. Bellach 'segur faen sy'n gwylio'r fangre' ers tro byd.

Yn ystod y pedwardegau fe geid ym mhob ardal bron gnewyllyn o bobl a fyddai'n trefnu cyngherddau a chynnal Nosweithiau Llawen. Eu prif amcan oedd rhoi noson o ddifyrrwch i groesawu'r rhai a fyddai'n dychwelyd am seibiant o'r Lluoedd Arfog. Hefyd ceid partïon drama ym mhob pentref bron. Amaturaidd ddigon oeddent yn fynych, ond eu gwerth oedd bod pobl yn ymgasglu i greu eu difyrrwch eu hunain, ac y mae hynny bob tro yn rhagori ar yr hyn a gewch wedi ei baratoi i chi. Cydiodd y gweithgarwch hwn yn dynn mewn ambell ardal a pherson a thyfodd partïon sefydlog, a heb os, un peth a gyfrannodd at ailorseddu y Noson Lawen oedd yr un a ddarlledwyd o Fangor, dan gyfarwyddyd yr athrylithgar Sam Jones. Roedd pob clust wedi ei throi i gyfeiriad y weiarles pan ddeuai awr y Noson Lawen, a gwerin gyfan yn dotio at storïau ffraeth, gwladaidd Charles Williams. Yn y Noson Lawen clywyd Hogia'r Coleg a'u caneuon a oedd yn cymell cael eu hailadrodd. A phwy all anghofio y Co Bach? Gwych o gyfraniad oedd y Noson Lawen.

Roedd 'na barti Noson Lawen yn Sir Benfro hefyd – Bois y Frenni, o dan arweiniad athrylith arall, W.R. Evans. Tyfodd hwn i fod yn barti cenedlaethol. Parti brethyn cartre oedd e, ond y brethyn o'r deunydd gore.

Yn ardal Marie James, sef Tregaron, roedd parti arall a elwid Adar Tregaron o dan arweiniad y dawnus

Dai Williams. Defnyddient hwy lawer o ddeunydd Idwal Jones. Onid oedd Cassie Davies gydag e yn y coleg yn Aberystwyth ac wedi perfformio ei waith o'r cychwyn cyntaf?

Pan roddwch y gweithgareddau diwylliannol yma ynghyd fe welwch fod 'na fywyd yn y gymdeithas. Tybed nad oedd a fynno'r ffaith fod y rhyfel erchyllaf a gafwyd erioed wedi dod i ben rywbeth i'w wneud â'r egni? Dathlu dod yn rhydd? Beth bynnag yw'r esboniad, roedd blynyddoedd olaf y pedwardegau a dechrau'r pumdegau yn gyfnodau creadigol iawn. Ai'r teledu bondigrybwyll a ddiffoddodd y cyffro? Beth bynnag yw'r rheswm, o'r cyfnod yna y daw Parti Stag's Head. Dyma ddywed erthygl yn y papur bro lleol, *Y Barcud* amdano:

> Ffurfiwyd Parti Stag's Head, Llangeitho, gyda'r bwriad o roi pleser amrywiol i ardaloedd gwledig, mewn actio, adrodd a chanu. Datblygodd y parti hwn fodd bynnag a daeth yn enwog mewn cylchoedd mwy eang nag ardal Llangeitho. Cadd wahoddiad i gynnal cyngerdd yn Llundain ar ddau achlysur. Parti wedi ei seilio ar berthynas deuluol oedd Parti Stag's Head. Cnewyllyn y parti oedd pump o frodyr, sef Dai, Gerallt, Gwynfor, Gwilym ac Elwyn Pugh. Ar wahân i'r brodyr roedd eu gwragedd hefyd yn cymryd rhan ynghyd ag un gyfnither. Yn cyfeilio roedd Mari Griffiths, Talbedw.
>
> Y wraig a fyddai'n rhoi trefn ar bopeth o safbwynt yr hyfforddi ac arwain y cyngherddau, ynghyd ag ysgrifennu darnau gwreiddiol i'w perfformio fyddai Marie James, Llangeitho. Wrth

gwrs, ar deithiau hir byddai'r parti yn manteisio ar y ffaith fod Dai James, gŵr Marie, yn berchen ar fodur addas i'w cludo.

Y pumdegau oedd blynyddoedd prysuraf y parti. Amcangyfrifir iddynt gynnal ryw dri chant o gyngherddau yn y cyfnod yma. Ar adegau byddent yn ymweld â rhywle bedair gwaith yr wythnos, ac yna roedd galw am ymarfer deunydd newydd. Cwbl addas yma yw dyfynnu cerdd Glyn Ifans:

I Gofio

Mae'r bwrlwm yn Llangeitho?
Oes 'marfer 'da ni heno?
Ddaw galwad capten cyn yr hwyr
Rhag inni lwyr anghofio?

Arglwyddes, meistres ardal.
Sawl plwy sy' dan ei gofal?
Brwdfrydedd hon a'n taniodd ni
Ble gwelwn ni ei hafal?

Drwy fonion perthi'n madru
Yn sŵn y gwynt sy'n chwythu
Daw llais y ferch o Dal-yr-Ynn
Dros bant a bryn, dros Cymru.

Gwarchodai hithau'r perthi
Heb dolio dim o'i hynni –
Yn swcro, dysgu ym mhob man
Heb unwaith wangalonni.

Roedd Marie'n halen daear,
Yn hael, yn gymwynasgar;
Dy lais, dy wên, dy chwerthin pur
Dry'n gysur yn ein galar.

Gweithgaredd amser hamdden oedd hwn i Marie. Roedd ganddi waith yn y ffatri yn ystod y dydd ac wedi gorffen gyda'r gwaith hwnnw ymgymerodd â'r Swyddfa Bost yn Llangeitho, a bu yno hyd ei hymddeoliad yn 1982.

Daeth enw Marie James i'r brig yn rhinwedd ei champ gyda Pharti Stag's Head yn bennaf. Symudiad naturiol i'w dawn oedd cael ei dewis yn un o aelodau 'Penigamp' yn niwedd y chwedegau. Jacob Davies naturiol ddoniol yn cadeirio'r panel a'r aelodau eraill oedd Cassie Davies, Dic Jones, Tydfor Jones a Marie wrth gwrs. Mae pedwar ohonynt wedi ein gadael bellach – gadawyd Dic Jones yn unig. Ym mil naw saith deg un cyhoeddodd Y Lolfa bigion 'Penigamp', gyda'r elw yn cael ei roi i Gymdeithas yr Iaith. Yn ei gyflwyniad, sy'n gwbl nodweddiadol ohono, dyma ddywed Jacob Davies:

Penigampair . . .
'Jiw . . . jiw, gadwch i'r bobol enjoio mas draw,' mynte Lorraine Davies, y gaffer geire. 'Gwd w, fe gân' nhw wherthin ar 'u traws,' mynte Teleri Bifan. A dyma Megan yn coglis deial y ffôn yn Llandâf a chyn pen munud roedd pum cloch yn chwerthin yn Sir Aberteifi. Fel'na y dechreuodd hi. Penigampwaith.

Ymhle drwy Gymru ma' chwimwthach tafodau na thafodau Marie Jâms a Cassie Davies . . . ?

Gwragedd penigampwych o dafotrwydd (nid tafotrydd!)

Enillodd y rhaglen ei phlwyf yn ddiymdroi ac fe ddaeth yn ffefryn. Yr oedd, heb os, yn donic.

Daeth yn amser gollwng (term Shir 'Berteifi am godi pac ar ddiwedd y dydd) ac ma' Marie wedi gollwng ei gafael a bydd ardal a gwlad yn teimlo'r golled. Roedd yn llythyrwraig eneiniedig, a chwith fydd meddwl na ddaw llythyr oddi wrthi mwy.

Af ar dro i'r Amgueddfa Werin yn Sain Ffagan. Yno yn cael ei harddangos mae aradr fain William y Gof. Bydd plwc o falchder yn gafael ynof am imi adnabod yr un a'i lluniodd, a che's yn f'amser gydio yn ei dau gorn a naddu cwys gyda hi. Bydd ymweld â Llwynpiod, Llangeitho a'r bröydd yna yn ennyn yr un balchder ynof, oherwydd ce's adnabod un o wŷr y *Champion Class*, ac mae ei gwaith yn dal i'w chanmol.

Mae hi'n fraint fawr i gael cerdded y dalar i werthfawrogi eto y gwaith a wnaeth hi ar ei grynnau. Rhodder iddi pob ruban a llawryf sydd ar gael. Haeddodd y cwbl, a llawer mwy.

Efallai bod perygl inni sôn am ei gwaith ar y grynnau fel pe bai hi wedi cyfyngu ei gweithgarwch i ryw adrannau dewisol. Pell iawn o'r gwir yw hynny. Grynnau o fewn un maes oeddent, a'r maes oedd Cymru. Dangosodd fod ganddi gonsýrn cynyddol am gyflwr Cymru a'r Gymraeg.

O fewn ei hoes gwelodd newidiadau syfrdanol yn ei bro ei hun, a'r rheiny yn fygythiad i'r ffordd Gymreig o fyw. Ardal Gymraeg iawn oedd Llwynpiod a Llangeitho. Dyna'r gwir am Ddyfed wledig gyfan, ond wedi'r rhyfel gwelwyd newid. Dechreuodd y mewnlifiad, a chynyddu a wnaeth bob blwyddyn hyd nes inni gyrraedd y fan ble mae mwy o Saeson na Chymry naturiol yn ein hysgolion gwledig. Pocedi bach o Gymry a fu'n asgwrn cefn i Gymreictod yn y cadarnleodd hyn. Poenai hynny Marie James yn fawr ac ni pheidiai â chanmol gwaith yr athrawon cydwybodol yn troi'r mewnfudwyr yma yn Gymry o dan y fath amgylchiadau anodd. Cefnogodd y cynllun i gael athrawon bro. Mynd i ysgolion i atgyfnerthu eu gwaith wrth iddynt ymosod â'r dasg enfawr o gadw'r ysgol yn Gymraeg a Chymreig a wna'r rhain. Bu bygythiadau cyson i'w gwasanaeth oherwydd toriadau gan y Llywodraeth, ond ymladdodd Marie hyd yr eithaf dros y cynllun gwerthfawr hwn. Ac wrth gwrs, fel un a gadd ei haddysg mewn ysgol fach gwyddai am eu gwerth i'r fro, a gwyddai o brofiad am eu cyfraniad addysgol. Bu llawer ymgais i geisio aildrefnu'r ysgolion bach a ffurfio rhyw gwlwm o ysgolion mewn dalgylch arbennig. Ni allai Marie dderbyn hynny. Yn y gyfrol *Dwy Genhedlaeth* a gyhoeddwyd gan Cyhoeddiadau Mei yn 1983, holodd Gwilym Owen,

'Beth fydda Marie James yn hoffi ddweud, neu yn hoffi ei wneud, yn fwy na dim byd arall. Beth, naill ai mewn polisi neu berswadio'r Cyngor neu be?'

Dyma'i hateb: 'Wel, weda' i beth wy'n brwydro drosto fe nawr – a brwydr galed yw hi hefyd – yw ceisio cadw ysgolion bach y wlad yn agored, ac mae hynny'n frwydr, achos mae wedi mynd yn ffasiwn gyda ni nawr – gyda rhai pobol yn Sir Dyfed – mai ysgol ardal sy'n llwyddiannus . . .

Wel, dwi ddim am enwi neb nawr, ond chi'n gweld, mae hi'n agwedd gan rai cynghorwyr hefyd. Mae'n rhaid ymladd wedyn yn galed iawn a cholli llawer o chwŷs wrth ymladd dros ysgolion bach y wlad, sy' wy'n credu yn cynhyrchu arweinwyr cymdeithas, ac yn rhoi'r addysg lawn i blant. Nid addysg er mwyn gyrfa sydd i fod, ond addysg er mwyn dysgu rhywbeth gwerth chweil i blentyn ac yn ei neud yn ddinesydd llawn yn nes ymlaen. Chewch chi ddim o hyn mewn ysgolion mawr.'

Rhan o'r frwydr dros Gymreictod ei bro oedd hyn a siom fawr iddi oedd colli'r frwydr, ar dro.

Fe ellid dadlau ei bod yn Gymraes draddodiadol ac am gadw pethau fel yr oeddynt. Yn y preimin lleol (y cyfeiriais ato ar ddechrau'r ysgrif) roedd 'na gystadlaethau plygu perthi. Pleser pur oedd gweld gwaith y crefftwyr hynny. Pwrpas y plygu oedd cael amddiffynfa sicr i'ch caeau, ac yr oedd Marie yn cadw ei llygaid ar gyflwr y perthi oedd yn gwarchod ei maes gydol yr amser. Pryderai'n fawr fod diota ar gynnydd, yn enwedig ymhlith yr ifanc, a bod y ddiod gadarn yn gwneud niwed i gymeriadau ac i deuluoedd, ac fe allech fentro'ch crys y bydde hi'n siŵr o godi'r ffôn os oedd trafodaeth ar y pwnc yna ar Stondin Sulwyn. Byddai'n llafar iawn ei phrotest ac arswydai wrth feddwl bod cyffuriau wedi cyrraedd cefen gwlad. Bu bron iddi â llewygu pan ddeallodd fod hen gartref Cassie Davies, Caetudur, Tregaron wedi ei droi yn rhyw fath o labordy cynhyrchu cyffuriau. Roedd y newidiadau yn boen iddi oherwydd ni allai weld eu bod yn llesol mewn unrhyw fodd i fywyd cefen gwlad. Mynnai gadw'r chwyn o'i maes, chwyn a allai dyfu a thagu yr had da a heuwyd, o adael llonydd iddo.

Diau fod 'na rai o'i beirniaid yn ei hystyried yn rhyw fwbach y brain ar y maes, yn gwbl analluog i rwystro'r brain rhag disgyn o gwmpas ei thraed. Go brin fod hynny'n wir. Gwarchodwr dygn fu hi. Gwarchod hyd y diwedd am ei bod hi'n llwyr argyhoeddedig fod 'na bethau gwerth eu cadw yn y gymdeithas. O'i cholli gwanychodd brwydr cefen gwlad. Gall y bwystfilod rheibus ddod trwy ein perthi yn haws o lawer erbyn hyn.

Y Parch. T.J. Davies

Brysio a Rhuthro
(Colofn 'Cnoi Cil' yn y *Cambrian News*, Hydref 16eg, 1987)

Ffrïo selsig (neu sosej yng Nghymraeg Sir Aberteifi) yr oeddwn erbyn swper neithiwr, ac fel y bydd rhywun yn aml, mewn tipyn o frys gan fod eisiau mynd i rywle wedyn, a chofio fel y byddai fy mam yn paratoi sosej slawer dydd, pan oedd sosej yn foethun mawr. Eu rhoi mewn ffreimpan gast fawr wrth ben y tân mawr, nes bod ei hwyneb yn goch fel y tarpar, yn eu troi yn ôl a blaen am amser, nes bod pob cornelyn ohonynt yn sgleinio'n frown hyfryd. A dyna wledd oedd eu bwyta i swper, gyda digon o fara menyn cartre.

Roedd yr hen bobol yn cymryd gofal a thrafferth ac amser i baratoi bwyd, a hwnnw'n fwyd maethlon a blasus. Byddai'r toes bara yn cael ei gymysgu gyda'r hwyr, a'i adael yn y badell bridd fawr i godi ger y tân erbyn y bore, a theisen furum yr un modd. Byddai'r cawl yn cael berwi'n araf drwy'r bore, a'r tatws yn y ffwrn ar ben y tân yr un modd, gyda thafelli o gig mochyn cartre ar eu pennau, a chodi tywarchen neu ddwy o'r tân i ben caead y ffwrn, nes byddai'r tatws wedi pobi'n hyfryd, ac O! mor flasus. Corddi, ac wedi cael y menyn o'r fuddai, cymryd digon o amser i'w glatsho gyda'r claper nes byddai pob diferyn o laeth enwyn wedi cael ei erlid ohono. Felly roedd hi wrth baratoi bwyd – cymryd digon o amser, ei gyfri'n grefft, a theimlo balchder wrth weld y wledd orffenedig.

Mor wahanol yw hi erbyn heddi; rhuthr mawr i baratoi bwyd yn aml, a phopeth yn y rhewgist mor hwylus i baratoi pryd ffwrdd-â-hi mewn fawr o dro. Rhuthr mawr yn aml wedyn i lowcio'r bwyd, gan fod brys i fynd i rywle, neu lais meistraidd o'r sgrîn fach yn ein hudo i wylio. Mae hi'r un peth ym mhob agwedd o'n bywyd, brysio a rasio a rhedeg nes bod y cwbwl yn clatsho. Rhuthro yn y modur o le i le, ac i ganol traffig mawr y trefi, nes gwneud ein nerfau'n rhacs, a threthu'r amynedd i'r eithaf. Mae'n bur sicr fod y straen a'r rhuthro yn achosi anhwylderau ar y galon; ni chofiaf am lawer o bobl yn dioddef o hyn flynyddau 'nôl, pan oedd bywyd yn llawer mwy hamddenol, a'r camu yn llawer arafach.

Mae gan y diweddar Barchedig O.M. Lloyd englyn ardderchog ar y testun 'Brys'. Dyma fe:

I beth y rhuthrwn drwy'r byd – gwirion yw
Gyrru'n wyllt drwy fywyd;
Daw blino brysio rhyw bryd,
A daw sefyll disyfyd.

Mae'n englyn sy'n werth i ni i gyd i'w ddysgu, a'i adrodd wrth ein hunain bob dydd.

Mae bywyd, fel pryd da o fwyd, yn rhywbeth i'w flasu, ac, fel pryd o fwyd, yn rhywbeth i gymryd amser i'w fwynhau; os ydym i gael y gorau ohono. Roedd yr hen bobol yn cymryd amser i sgwrsio, ac i ymlwybro'n hamddenol gyda'i gilydd adre o oedfa a chwrdd cystadleuol a chyrddau'r gymdeithas. Iddyn nhw, roedd gwaith yn grefft i'w gyflawni'n hamddenol a gofalus, ac roedd amser hamdden yn grefft yn yr un modd. Rwy'n siŵr y bydd llawer ohonoch yn dweud fy mod yn swnio'n henffasiwn sentimental wrth orffen gydag Abia Roderic:

'Mae tipyn o ffordd gyda ni i'w dilyn nhw.'

Marie James

Recordiwyd ar gyfer y rhaglen 'Rhwng Gŵyl a Gwaith'
(Ebrill 28ain, 1974)

Pan ddechreuwyd cyhoeddi'r *Drysorfa Fach* o dan olygyddiaeth y Parchedig Thomas Levi yn y ganrif ddwetha, fe ofalwyd yn ardal y Berth fod yna rywun yn galw ym mhob cartre i gasglu archebion. Fe alwyd yng nghartre dau frawd yn yr ardal, dau oedd yn ffyddlon iawn yn y capel, ac roedden nhw hefyd, wrth safonau'r oes honno, yn cael eu hystyried yn weddol gefnog. Gofynnwyd iddyn nhw a hoffen nhw dderbyn y *Drysorfa*, ac mai ceiniog fyddai ei bris. 'Rhowch wythnos i ni i feddwl dros y peth,' medden nhw.

Rydyn ni'n dal fel'na o hyd yn ein hardal ni wrth benderfynu rhywbeth pwysig – dewis dyddiad y Cwrdd Diolchgarwch, pregethwyr y Cyrddau Mawr, a ble i fynd ar y Trip Ysgol Sul – mae'n rhaid, bob amser, cael wythnos i feddwl dros y peth. Man a man fyddwn ni ymhen wythnos wedyn, ond fe fyddwn ni wedi cadw at y traddodiad, ac yn teimlo'n ddigon hapus. Wel, i ddod 'nôl at y ddau frawd yma â'r *Drysorfa* – dyma alw 'nôl ymhen wythnos, a dyma'r ateb: 'Ry'n ni wedi meddwl o ddifri am y peth, ac ry'n ni wedi penderfynu nag y'n ni am ei derbyn – dim oherwydd y pris cofiwch – 'dyn ni ddim yn dweud llai na allen ni fforddio hwnnw, ond ma' ofan arnon ni y bydd hi'n tynnu'n blas ni oddi ar y Beibl.'

Beth ddweden nhw heddi pe gwelen nhw ni, eu cymdogion, aelodau capel Llwynpiod, wrthi â'n holl egni bob gaea' ers blynydde yn darllen ar gyfer cystadlaethau Cwisiau Llyfrau Cymraeg? Pan fydd y wiwer a'i chyd-gysgadwyr yn paratoi i dynnu blanced y gaea' dros eu pennau, fe fyddwn ninne yn Llwynpiod yn tynnu'r gorchudd-dwst sy' dros y cof, ac yn paratoi o ddifri ar gyfer y Darllen Mawr. Fe ddaw dogfen bwysica'r flwyddyn, sef rhestr cystadlaethau'r gaea' i'n dwylo ddechrau'r hydre' o bencadlys y llyfrgellydd arian-byw, Alun Edwards – llyfrgellydd Dyfed erbyn hyn. Y gwaith mawr cyntaf wrth baratoi ar gyfer y cwisiau yw dewis y llyfrau pwrpasol ar gyfer pob darllenydd. Bydd un am astudio llyfr barddoniaeth, un arall am gael nofel ysgafn a'r llall eisiau nofel â thipyn o gnawd arni; rhai am ddarllen cofiant, eraill am ddarllen llyfr taith. Ry'n ni wedi teithio ar hyd a lled y byd yn ystod y blynyddoedd dwetha, yn rhad ac am ddim, heb boeni am na dogfennau, na gyrru ar yr ochor dde, na dysgu iaith dramor. Ry'n ni wedi dysgu milltiroedd o farddoniaeth, yn awdlau, sonedau ac englynion, ar y cof, ac erbyn diwedd y gaea', mae gyda ni gof a all ymestyn cystal â'r lastig gore, ond nid bob amser y gellir dweud, erbyn noson y prawf – '*guaranteed not to shrink*'!! Ry'n ni'n dweud yn aml yn Llwynpiod, pe byddai'r Brifysgol yn creu gradd newydd B.Cwis, y bydden ni i gyd yn yr ardal yn wŷr gradd ers llawer dydd.

Mae 'na lawer o siarad fod y bywyd diwylliannol Cymreig ar drai. Falle 'i fod e mewn llawer o ardaloedd, ond rwy' i am ddweud gair am y llewyrch diwylliannol Cymreig sydd yn ardal fach Llwynpiod – falle bydd yn galondid a symbyliad i rywrai eraill. Ar wahân i gymryd rhan yn y Cwis Llyfrau Cymraeg, y Cwis Ysgol Sul a'r grwpiau trafod llyfrau, rydym yn cymryd rhan mewn pob math o gystadlaethau eraill o dan nawdd y Llyfrgell a'r Pwyllgor Addysg. Eleni buom yn cystadlu ar wneud tapiau o atgofion; casglu hen luniau; gwneud arolwg o offer amaethyddol; gwneud casgliadau o hen ddywediadau a rhigymau, sgrifennu storïau i blant; olrhain hanes y Cyngor Plwyf, casgliad o gyfarwyddiadau coginio; hanner awr o Noson Lawen ar dâp a.y.b. Dechreuasom ar fenter fawr eleni hefyd, sef cyhoeddi cylchgrawn ardal, *Pigion Padarn*, a gobeithiwn ei gyhoeddi ddwywaith neu deirgwaith y flwyddyn. Rydym yn cael cwrdd cystadleuol llewyrchus iawn bob mis Ionawr, gwaith llwyfan, cyfansoddiadau llenyddol, gwaith llaw a choginio, a'r bara cartre a'r cacennau yn cymysgu'n hapus â'r parodïau, y brawddegau, y limrigau a'r baledi. Cyn gynted ag y bo'r ŵydd a'r pwdin Nadolig wedi treulio, ry'n ni oll yn setlo i lawr gyda phapur a phensel i gyfansoddi ar gyfer y cwrdd blynyddol.

Flynyddau 'nôl, arferai Saeson o gartrefi plant amddifad ddod i'r ardaloedd yma i weithio. Roedd un wedi dod i gartre yn Llangeitho, wedi dysgu crefft, ac wedi bod fel un o'r teulu am weddill ei oes. Arferai fynd i'r Cwrdd Gweddi'n gyson, a dyma fo'n dod adre un nos Lun a dweud iddo gymryd rhan yn gyhoeddus.

'Ond John bach,' medden nhw, 'fuest ti ddim yn gweddïo'n gyhoeddus!'

'Do fi,' medde fe, 'wyt ti'n gweld, 'dyw dyn ddim yn gwbod beth gall e neud nes treith e.' Wydden ninne ddim yn Llwynpiod y gallen ni wneud yr holl bethau uchod nes y treion ni. Gobeithio fod pob ardal yng Nghymru yn treio.

Marie James

Teyrnged Goffa i Mrs Marie James: 1918-1995

'A hi a fydd fel pren wedi ei blannu ar lan afonydd dyfroedd, yr hwn a rydd ei ffrwyth yn ei bryd; a'i ddalen ni wywa; a pha beth bynnag a wnêl, hi a lwydda.' *Salm 1: Adnod 3*

Pan ddeuthum wyneb yn wyneb â Marie Jones o fferm Tal'rynn gyntaf, roedd gwynt y dwyrain ddiwedd mis Hydref yn chwythu o Gwm Berwyn dros Gors Caron at Llain, cartref cyntaf Kitchener Davies, i gyfeiriad capel bach Llwynpiod. Roedd wyneb Marie yn hollol ddieithr i mi ar y pryd gan fy mod i a'r teulu wedi symud aelwyd o fferm Hendrerhys yn ardal y Trawsgoed, lle'r oedd Plas Trawsgoed yn gorwedd yn dawel ynghanol coed bytholwyrdd, a dod i ardal y corsydd a'r bryniau. Yr oedd fel newid gwlad, nid newid ardal. Cael mynd yn blant i Ysgol Sul Llwynpiod yn y prynhawn – dyna'r tro cyntaf i ni gael mynd i Ysgol Sul y Methodistiaid Calfinaidd. Ysgol Sul yr Eglwys oedd yn gyfarwydd i mi gan fy mod wedi mynychu honno ers yn ifanc iawn yn fy mhlentyndod.

Yr hyn sydd wedi aros yn y cof am y prynhawn hwnnw yn yr Ysgol Sul yw'r croeso a gawsom gan ferch ifanc un ar bymtheg oed. Teimlodd y tri ohonom

– fy mrawd Dai, fy chwaer Megan a minnau awyrgylch hyfryd a chroesawgar iawn yno, a thros y blynyddoedd daethom yn ffrindiau â Marie Jones – dylanwad mawr ar yr eglwys yn Llwynpiod. Pe bai angen ateb rhyw lythyr arbennig byddai un o'r hen flaenoriaid yn dweud,

'Rwyf yn gofyn i chi, Marie Jones, ei ateb ar ein rhan,' a byddai pawb yn eilio'r cynnig. Yn ddi-os, Marie oedd cyfreithiwr y capel, ac fe ddaliodd i fod yn gyfreithiwr y capel hyd y diwedd.

Yn 1940 priododd Marie Jones â David James, brodor o ardal Galltwalis ger Caerfyrddin, ac fe ddaeth Marie Jones yn Marie James. Nid oedd yn syndod iddi briodi gŵr o ardal Caerfyrddin gan iddi dderbyn gradd N.D.D. *(National Diploma in Dairying)* a bu'n gweithio yn y ffatri *Cow & Gate* yng Nghaerfyrddin ble y cyfarfu â David. Cofiaf y briodas yn dda oherwydd dau beth: priodas dydd Sul yng nghapel Llwynpiod oedd hi, ac yn ail, roedd hi'n bwrw eira'n drwm. Priododd y ddau ar ddydd Sul am fod David James adref ar *48 hours leave* cyn mynd allan i rhyw wlad ddieithr.

Ymhen amser, ganed Meima – Jemeima Rhiannon James. Cafodd Meima ei magu fwyaf gan ei thad-cu a'i mam-gu ar aelwyd Tal'rynn gan fod Marie yn gweithio a David yn y fyddin.

Yn 1947 derbyniodd Marie anrhydedd o du'r capel pan gafodd ei hethol yn flaenores a hithau ond yn wyth ar hugain oed. Roedd yn anrhydedd o'r mwyaf i ethol gwraig yn flaenores bryd hynny, (rwy'n siŵr mai hi oedd y flaenores ieuengaf yn Henaduriaeth De Aberteifi yn y cyfnod hwnnw). Roedd eglwys

Llwynpiod erbyn hyn yn dechrau gweld cadernid y pren.

Bu'n athrawes Ysgol Sul am lawer blwyddyn cyn cael ei hethol yn flaenores, gyda degau o blant wrth draed y Gamaliel hyn. Bellach maent wedi mynd dros y nyth i bedwar ban Cymru a thu hwnt i Glawdd Offa.

Do, fe heuodd Marie yr had, a rhaid dweud i beth syrthio ar ymyl y ffordd, peth ymysg y drain ac ar y creigiau, ond diolch byth, gallaf ddweud hefyd bod llawer wedi disgyn ar dir da, ac mae ffrwyth y rhai hynny i'w gweld heddiw yn arweinwyr eglwysi Cymru.

Rhoddodd lawer i'w phlant dros y blynyddoedd. Fe'i gwelais bob blwyddyn yn rhoi *Detholiad o Emynau a Thonau'r Eglwys Bresbyteraidd a Methodistaidd Cymru* i bob plentyn yn yr eglwys, rhwng deg a phymtheg copi ar y tro. Hefyd byddai pob plentyn yn cael llyfr Cymraeg yn anrheg Nadolig ganddi. Dyna gymeriad Marie, roedd yn well ganddi roi na derbyn.

Fe daenodd y pren ei ganghennau y tu mewn a thu fas i'r filltir sgwâr. Roedd y Gymanfa Ganu a'r Gymanfa Bwnc yn flaenllaw iawn yn ei dyddiadur. Hefyd rihyrsal y plant, a diolch na wyddai Dai ei gŵr am y llwyth oedd yn cael ei gario gan Marie – ambell waith byddai ganddi tua naw yn y car a hwnnw, druan, yn gorfod ymdopi â'r llwyth a Marie yn llywio'r olwyn heb feddwl am un perygl.

Cafodd ei hanrhydeddu yn un o'r rhai cyntaf i dderbyn Medal Goffa Syr T.H. Parry-Williams, a'r capel yn llogi bws i fynd lawr i Ddyffryn Lliw i'r Eisteddfod Genedlaethol i'w gweld yn derbyn y fedal yno.

Bu'n weithgar iawn â Phlaid Cymru hefyd. Cafodd ei hethol yn enw y Blaid i eistedd ar Gyngor Sir Dyfed sawl gwaith, ond yn y diwedd gorfu iddi ymddiswyddo ar sail ei hiechyd.

Braint oedd cael rhannu llwyfan â hi yng ngweithgareddau'r capel, ym myd y ddrama a'r Nosweithiau Llawen. Ond yr uchafbwynt oedd cael cyd-actio â hi yn nrama fawr Capten Harriet o dan gyfarwyddyd ei ffrind annwyl, Cassie Davies.

Rhaid dweud gair hefyd am y cwis blynyddol oedd yn cael ei gynnal dros y sir o dan arweiniad medrus Alun R. Edwards, Llyfrgellydd y Sir, a gafodd ei alw adref yn rhy gynnar o lawer. Roedd yn rhaid i Marie ethol tri thîm o gapel Llwynpiod yn flynyddol i'r gystadleuaeth hon. Tri llyfr i'w darllen a dau yn darllen pob llyfr, chwech mewn un tîm, a thri thîm yn gwneud deunaw aelod o'r capel. Marie yn dewis y timau ar ôl darllen y llyfrau ei hun (er mwyn i bob aelod gael llyfr addas) ac yna fe luniai gwestiynau ac atebion – tri chant a mwy am bob llyfr. Digwyddodd hyn am flynyddoedd a byddai tîm Marie James yn dod i'r brig neu yn agos i'r brig yn aml. Ys y dywedodd un aelod ffyddlon o'r capel a oedd yn y tîm yn gyson, 'erbyn y diwedd nid oeddwn yn poeni darllen na dysgu'r llyfr. Roedd yn rhwyddach dysgu atebion Marie James; roedd yn rhaid i'r cwestiynau yn y cwis ddod o'r tri chant a rhagor oedd Marie wedi eu paratoi!'

Do, fe daenodd canghennau Marie dros ardaloedd pell ac agos. Bu'n gymorth, yn gysur ac yn donic i lawer. Roedd hi'n wraig a allai fod yn lleddf ac yn llon ac fe allai weld yr ochr ddigri pan mewn trafferth. Ni feiddiai neb ddweud 'na' pan ofynnai Marie gymwynas ganddynt, i gymryd rhan mewn oedfa neu gyfarfod gweddi. Cafodd ei hanrhydeddu'n aelod o Orsedd

Beirdd Ynys Prydain ar ddiwedd yr wythdegau fel 'Mari Ceitho', ond i ni aelodau'r capel, Marie James Llwynpiod oedd hi. A dyna beth oedd Marie am fod. Roedd hi'n caru ei phobl, ei hardal a'i chapel.

Ond er cadernid a chysgod y canghennau, daeth iorwg y blynyddoedd i'r golwg, gan araf wasgu'r daioni allan o'r goeden. Fe ymddangosodd y pydredd sych ym mlaen y canghennau a gweithiodd y pryfyn i ruddin y pren. Dechreuodd y pren ddangos pydredd amser. Bu i'w gwaeledd ymestyn am o leiaf dair blynedd. Ymddangosai Marie mewn oedfa pan nad oedd yn ddoeth iddi fod yno. Bu'n ymweld â llawer o feddygon mewn sawl ysbyty er mwyn gwella, ond ofer fu pob ymgais. Roeddwn yn ymwelydd cyson â hi yn yr ysbyty yn Nhregaron, ond roedd olion yr afiechyd yn ymddangos fwyfwy gyda phob ymweliad. Fy ymweliad olaf â hi oedd Hydref 19eg, 1995.

'Rôl cyrraedd ei hystafell gwelwn fod y Marie James annwyl, y ferch ifanc un ar bymtheg oed a roddodd y croeso cynnes hwnnw inni un mlynedd a thrigain ynghynt, ar ei mordaith olaf o 'sŵn y byd a'i glyw'. Roedd y llais wedi tewi, roedd y wên hawddgar ar goll a'r llygaid wedi pylu. Mentrais ofyn,

'A shwt ma' Marie James heno?' Roedd deigryn hiraeth yn fy llygaid.

'Ti, Huw sydd yna?' gofynnodd mewn ychydig.

'Ie, ie,' meddwn i.

'O,' meddai, 'yr oeddwn yn gobeithio y byddet ti'n dod heno, rwyf wedi dy ddisgwyl drwy y dydd.'

'Roeddech chi eisie fy ngweld Marie,' meddwn.

'Oeddwn,' meddai. Tawelwch mawr eto.

'Dere â dy law i fi.' Minnau yn gafael yn ei llaw. Tawelwch eto.

Galwaf y noson honno yn Seiat y Tawelwch Mawr, oherwydd ni ddywedwyd fawr, ond fe fynegwyd llawer. Roedd gafael ei llaw yn dweud y cyfan a minnau'n sylweddoli bod y Marie James, neu Gapten Harriet y ddrama y bûm yn actio gyda hi, ar ei mordaith olaf.

Ailgychwyn eto, a'r llaw yn gafael yn dynnach ynof.

'Rwyf am i ti addo i fi,' meddai mewn llais gwylaidd a thawel. Tawelwch eto. A minnau yn mentro gofyn,

'Addo beth?' A dyma lais cryf Marie James yn dod allan o rywle na wyddwn i o ble:

'Wyt ti'n addo cadw'r teulu bach gyda'i gilydd oherwydd ni fydda i gyda chi ragor.'

Erbyn hyn ni allwn dorri yr un gair. Cefais nerth o rywle a dywedais, 'Gwnaf fy ngorau.'

Dyna ollwng fy llaw. 'Dyna fe,' meddai, 'gelli di fynd nawr ac fe a' innau adref. Diolch iti am ddod.'

Dod adref i fy aelwyd wnes i, ond roedd hi ar ei ffordd adref i aelwyd nad yw o'r byd hwn.

Drannoeth, llithrodd ei llong allan o harbwr y byd hwn ar ei thaith olaf i gyfeiriad y machlud, a gwynt y dwyrain yn trechu'r pren a'i ddiwreiddio rhwng cyfnos a gwawr. Ar Hydref 20fed aeth adref yn sŵn emyn mawr Ieuan Glan Geirionydd:

I mewn i'r porthladd tawel clyd
O sŵn y storm a'i chlyw
Y caf fynediad llon rhyw ddydd
Fy nhad sydd wrth y llyw.

Fe dyfodd y pren, fe daenodd ei ganghennau a daeth â ffrwyth yn ei bryd. Ond dros dro yn unig. Beth am y ddalen? Nid oedd honno i wywo ac nid yw wedi gwywo, y mae hi'n wraidd i galon ei chyd-aelodau yng nghapel Llwynpiod hyd heddiw, ac fe wnaiff barhau yn wraidd i galonnau y rhai oedd yn ei hadnabod.

Diolch am gael ei hadnabod. Diolch am gael y fraint o gyd-weithio â hi. Diolch am yr hyn a gyfrannodd i Gymru, a diolch i Dduw am gael ei benthyg dros gyfnod o amser.

Huw Blackwell

Angu Dai

Llangeitho a Llwynpiod yw cylch Marie James ac fel 'Mari Jâms Llangeitho' y'i hadwaenir gan y Cymry sydd yn ei chofio pan oedd hi'n seren radio am gyfnod o ddiwedd y chwedegau hyd ddechrau'r saithdegau ar y rhaglen radio 'Penigamp' gyda Dic Jones, Tydfor Jones, Cassie Davies a D. Jacob Davies.

'Mari Jâms' i bobl Cymru ond 'Angu Dai' i Dafydd, Elin a minnau – ei hwyrion a'i hwyres. Pam ei galw'n 'Angu' clywaf chi'n gofyn? Wel, roedd fy mrawd hynaf yn methu â dweud 'Mam-gu' pan oedd yn fach, a'r ynganiad a ddeuai o'i dafod oedd 'Angu' ac ychwanegwyd 'Dai' at yr enw am mai enw Dad-cu yw Dai. Dyna ein ffordd ni o wahaniaethu rhwng 'Angu Dai' yn Llangeitho ag 'Angu Gramp' sy'n byw lawr yn Ne Cymru.

Hyd at rhyw bedair blynedd yn ôl byddai Angu Dai gyda'i hedrychiad pefriog wedi'ch bwrw fel person ffroenuchel, gosgeiddig, awdurdodol. Cofiaf i mi ei hofni pan oeddwn yn fach am ei bod yn glamp o fenyw fawr, bob amser yn symud yn bwrpasol ac yn ffraeth iawn ei thafod at bwy bynnag fyddai'n gwrando. Pan fyddwn yn astudio'i hwyneb, fel bydd plant bach yn ei wneud, gwelwn fod ganddi ddau lygad bach tywyll fel rhai mochyn ac yna trwyn Rhufeinig, fel sy'n draddodiadol yn y teulu, gyda phont y trwyn fel Bryn Calfaria. Yna, ceg fach dynn heb gysgod o wên arni – sylwais yn ddiweddarach y byddai'r wên yn cyrraedd y llygaid cyn y geg. Cyffelybwn hi i rhyw dduw Groegaidd megis Pseidon neu Zeus.

Roedd ei chefn bob amser yn syth ond cafodd ei tharo'n wael a bûm yn dyst i'w brwydro yn erbyn yr holl flinderau. Gwelais hi'n pylu a cholli tir o flaen fy llygaid hyd nes iddi gael adfywiad a rhywfaint o nerth i ymladd yn erbyn y salwch dygn. Mae ei gwedd wedi newid llawer ac mae wedi gorfod bodloni ar weithredu o'i chadair.

Yn awr, i mi, mae hi'n llawer rhwyddach i nesáu ati ond mae hi'n parhau i fod yn benderfynol ac wrth gwrs, hi yw'r bòs ar yr holl deulu. Mae gan y Maffia ei Godfather neu Don ac mae ganddom ni Angu Dai! Pe bai dieithryn yn ei gweld hi nawr fe fyddai'n gweld olion o'r urddas, ac yn wir, mae hi'n dal i fod yn finiog ei thafod. Wy' ddim wedi clywed unrhyw un yn ei hateb yn ôl ar wahân i Dai, ei gŵr. Mae hi'n parhau i ymddangos yn anfoesgar a haerllug ac ry'n ni'n cuddio tu ôl i'r sedd pan fydd hi'n siarad â rhywun sy'n anghytuno â'i daliadau gwleidyddol neu Gristnogol. Pan ddaw hi bant oddi ar y ffôn daw'r geiriau cyfarwydd i'r glust – 'Mae gofyn bod yn siarp weithiau.'

Er hyn i gyd, calon dyner sydd gan Angu a does neb yn ofni dod ati am gymorth neu gyngor. Os bydd rhywun mewn gofid neu alar bydd llythyr neu alwad yn dod o gyfeiriad Gwynfil bob amser. Gwynfil yw ei chartref hi a Dai yn awr ers iddynt ymddeol yn swyddogol ac mae Gwynfil ar y rhiw uwchben

Llangeithio, ble gall Angu gadw llygad fel petai ar ei phraidd yn y pentref gan ei bod fel mam i bawb yno ac wedi llywio rhan fwyaf o'r datblygiadau a'r digwyddiadau yno ers diwedd yr Ail Ryfel Byd.

Cafodd ei geni i Dafydd a Jemeima Jones ar fferm Tal'rynn, Llwynpiod ar y pumed o Ragfyr, 1918. Hi oedd y plentyn hynaf ac fe'i dilynwyd gan ei dau frawd, Tom a Daniel, yn ystod y pedair blynedd ddilynol. Ardal y diweddar J. Kitchener Davies yw Llwynpiod ac yn wir, un o ffrindiau agosaf Angu yw Tish, chwaer Kitch. Aeth Angu i Ysgol Uwchradd Tregaron a'r arwyddair yno yw 'Mewn llafur mae elw'. Mae Angu wedi gwireddu hynny trwy gydol ei bywyd. O Ysgol Tregaron aeth Angu i Brifysgol Aberystwyth a derbyn diploma mewn Llaethyddiaeth. Bu'n gweithio mewn sawl ffatri laeth yn Nyfed gan ymweld â'r ffermydd adeg y Rhyfel. Mae'n bleser mynd am dro yn y wlad gydag Angu gan ei bod yn gwybod enw pob fferm ac yn medru olrhain hanes y teuluoedd am genedlaethau – mae'r diddordeb mewn hel achau wedi gafael ynof innau.

Wedi'r Rhyfel setlodd Dai a hithau yn y Swyddfa Bost yn Llangeitho a thoc ar ôl hynny dechreuodd Dai gwmni bysiau David James. Daeth y ddau yn sefydliad ac yn ffigyrau o bwys yn yr ardal o'r foment honno ymlaen. Maent wedi bod yn dîm da ac effeithiol dros y blynyddoedd, er yn wahanol iawn eu daliadau ac wedi cytuno i anghytuno yn aml. Yn wir, mae Angu wedi bod yn gapten a Dai wedi bod yn fêt ar ardal Llangeitho ac maent wedi cysegru llawer iawn o'u hamser i hybu'r bwrlwm prysurdeb yno. Gwnaeth y Prifardd W.J. Griffith englyn amdanynt ar ddathliad Pen-blwydd Aur eu priodas yn 1990:

Dau gymar, Dai a Marie – dau enwog
A dau annwyl inni;
Dau ddyfal o'n hardal ni
Roddodd o'u gorau iddi.

Breuddwyd Angu yw gweld pob ysgol yn ysgol ddwyieithog, a gweld Cymru Rydd a Christnogaeth yn rhan anhepgor o'r Gymru honno. Bu'r twf mawr o fewnfudwyr Seisnig yn ystod y deg mlynedd diwethaf yn sbardun iddi anelu a gweithio'n galetach i gyrraedd y ddelfryd hon. Roedd D.J. Williams yn ddyn y filltir sgwâr ac mae Angu yn fenyw y filltir sgwâr. Capel ac ardal Llwynpiod yw ei gwreiddiau a chredaf fod y gymdeithas honno yn ei charu hithau. Does dim i darfu ar batrwm y Sul i Angu ac mae Angu'n ei gogoniant yn trefnu pawb a phopeth, ond wedi dweud hynny, ni fydd Angu yn chwilio am unrhyw glod iddi hi ei hunan ar ddiwedd y dydd. Dyna, yn fy marn i, yw ei gwir gryfder.

Cafodd ei hethol yn gynghorydd sir yn Aberteifi yn 1976 o dan bwysau Gwynfor Evans. Hi oedd y cynghorydd sir cyntaf yn Sir Aberteifi i sefyll dros Blaid Cymru a daeth yn ffrindiau mawr ag Aled Gwyn a Hywel Teifi Edwards. Gorffennodd y cyfnod hwn yn ei bywyd tua 1986 pan ymddeolodd o'r swydd. Roedd Angu wedi pleidleisio dros y Blaid Lafur hyd nes iddi ddarllen llyfr Islwyn Ffowc Elis *Wythnos yng Nghymru Fydd* ac ers hynny mae hi wedi datblygu'n genedlaetholwraig benboeth sydd yn poethi mwy bob blwyddyn. Mae hi wedi ymladd i gadw'r iaith yn fyw trwy gynnal dosbarth Ysgol Sul yn Llwynpiod, paratoi'n ddi-droi-'nôl ar gyfer cwisiau llyfrau,

Nosweithiau Llawen, eisteddfodau a chyfarfodydd cystadleuol – does dim terfyn ar y rhestr.

Dyma ran o gerdd Dic Jones am Angu:

Mewn Swyddfa Bost neu Ysgol Sul
Ddaw neb ar gyfyl Marie,
Mewn cwrdd a chyngor, dynes lawn
A dawn i wneud daioni.

Daeth uchafbwynt bywyd cymdeithasol Angu yn 1980. Cofiaf inni fynd yn fysaid i Eisteddfod Dyffryn Lliw i'w chefnogi wrth iddi dderbyn Medal Goffa Syr T.H. Parry-Williams am ei gwaith cymdeithasol. Roedd hyn yn anrhydedd mawr iddi.

Mae fy ymwybyddiaeth o gyfraniadau Angu trwy'r blynyddoedd yn niwlog, ond gwn mai ei phrif ddiddordeb yw ysgrifennu llythyron. Hi, felly, yw'r brif ddolen gyswllt o fewn y teulu. Hi sy'n sicrhau fod 'na linyn tynn yn y teulu sy'n ymestyn o Ganada i Seland Newydd. Gwynfil yw Mecca'r teulu, a sawl teulu arall ar wasgar, ac mae Angu ar ei gorau pan gawn ni ymwelydd 'o bell'.

Sylweddolaf fod Angu wedi cyflawni llawer iawn yn ystod ei bywyd ac mae fy mharch ati yn anferthol. Mae wedi byw ac anadlu ei chymuned a bydd yn barod i amddiffyn y gymuned hyd y diwedd. Mae hi, yn fy marn i, yn llwyr teilyngu'r enw o fod yn Fam Teresa ddiwylliannol ardal Llangeitho, Llwynpiod a Thregaron. Menyw arbennig iawn.

Tomos Morse
(Rhan o gwrs Lefel 'A', Hydref 1992)

Marie
(Eisteddfod Genedlaethol Dyffryn Lliw, 1980, ar achlysur cyflwyno Medal Goffa Syr T.H. Parry-Williams)

Mawl a rodded Lliw yn hael
I'r wraig sy'n cael y fedal,
Roes ei hoes i'r fro a gar, –
Dihareb yn ei hardal,
Mae i'r Brifwyl ei mawrhau
I ninnau'n destimonial.

Pob peth yn drefnus a di-ffws,
Boed lywio bws neu barti,
Mewn Swyddfa Bost neu Ysgol Sul
Ddaw neb ar gyfyl Marie,
Mewn cwrdd a Chyngor, dynes lawn
A dawn i wneud daioni.

Ein clod i un dros gyfnod maith
Ym mhethau'r iaith fu'n gweithio,
Bu i'r pethe gore'n graig, –
A champwraig am areithio,
Heb os mae'n ddynes benigamp,
A'i stamp ar fro Llangeitho.

Dic Jones

Bwrlwm Llangeitho

Ysgrifwr a cholofnydd nodedig oedd Robert Lynd (ei ffugenw Y.Y.) a berthynai i'r *News Chronicle*, papur dyddiol hynod boblogaidd yng Nghymru. Pan fu farw Lynd talodd H.M. Tomlinson y deyrnged hon iddo:

'Yr oedd y dydd yn siriolach lle bynnag y safai Robert Lynd; cludai gydag ef ei fath arbennig o olau dydd.'

Gellid dweud hynny am Marie James hefyd. Cyfunai gynifer o swyddi a dyletswyddau nes yr ymdebygai i'r cymeriad yn yr opera *The Mikado* a oedd megis wyth swyddog arbenigol o fewn un person. Dwy hafan, dwy angorfa oedd ganddi – ei chapel yn Llwynpiod a'i chartref, y Llythyrdy, ac ni esgeulusodd y naill na'r llall.

Ar ôl imi fynd i Dregaron y deuthum i wybod am Marie a chael ei chyfarfod. Parhaodd y berthynas ar hyd y blynyddoedd ac ni all geiriau fynegi gwahanol ganghennau ei gweithgareddau. Fel meistres y Post yn y pentref gwyddai am bob cartref yn y fro a mynych ei chymwynasau nad oes cofnod amdanynt. Yr oedd hi ymhlith y rhai cyntaf a glywais yn rhoi rhif ei theliffôn yn Gymraeg. Roedd clywed 'Llangeitho 255' yn warant y byddai pob dim yn iawn.

Gofalai Dai, ei phriod, am eu cwmni bysiau a oedd

yn gwasanaethu'r fro, gan gynnwys cludo plant i ysgolion. Llogwyd bws i ddwyn Côr Ysgol Tregaron drosodd i dir mawr Ewrop unwaith a threfnodd Marie'r cyfan. Ar fws Llangeitho y gwelodd degau o blant geyrydd San Malo, hud Copenhagen a syberwyd Fienna.

Ond mewn gweithgareddau diwylliannol yn anad dim yr oedd Marie wrth y llyw a chafodd gyfle euraid i gyd-weithio ag Alun R. Edwards ar y cwisiau llyfrau. Meddiannwyd ardal gyfan gan 'dwymyn' darllen ac yr oedd y capten yn Llangeitho yn paratoi'r maes. Ceid nifer dda o dimoedd dan ofal Marie, pob un yn darllen llyfrau gwahanol ac fe drwythid pob grŵp gan y 'pennaeth'. Yr oedd ardaloedd eraill hyd at flaenau Ystwyth yn weithgar iawn a noson i'w chofio oedd cael y timoedd ynghyd. Roedd diddordeb heintus yn y canlyniadau a balm i Alun oedd gwybod bod cynifer o bobl Ceredigion yn darllen yr amrywiaeth o lyfrau ac yn cofio'u cynnwys. Dyddiau braf!

Mawr oedd y galw am Marie i annerch a llywyddu mewn cyngherddau ac eisteddfodau a hefyd yng ngweithgarwch Llwynpiod a'r gylchdaith. Os dywedid Llwynpiod yna clywid am Lwynpia, y Llain a Brithwernydd, Trealaw, Kitchener a'i frwydr dros Gymru, a hynny yn Philistia'r cymoedd. Gwyddai Marie hithau am sŵn y gwynt yn chwythu, y gwynt sy'n ysigo a fferru a dyna pam yr ymegnïodd i gymathu'r 'dynion dŵad' yn ei chynefin. Bu Marie'n flaenllaw iawn yn yr achos i sicrhau cofebau i James Kitchener Davies a W. Ambrose Bebb ac ymhyfrydai fod y ddau ohonynt wedi bod yn ddisgyblion yn Ysgol Sir Tregaron. Yno hefyd y bu hithau ac aeth yn ei blaen i Goleg y Brifysgol yn Aberystwyth a dod oddi yno i weithio yn ei bro. Bu'n gynrychiolydd didwyll i Blaid Cymru ar Gyngor Sir Dyfed a braint iddi yno oedd cael cwmni gŵr o gyffelyb anian a gynrychiolai Langennech – Hywel Teifi Edwards.

Gŵyr Cymru gyfan am ffraethineb a bwrlwm lleferydd Marie ar y radio ac ar y teledu yng nghwmni Tydfor, Cassie a Dic. Bu'n llywodraethwr ysgol cefnogol a pharod ei chymwynas fel y bu'r aelodau eraill hefyd.

Un o'r troeon diwethaf y bûm yn ei chwmni oedd ar brynhawn Sadwrn digon oer ym Mlaencwm, pan ddadorchuddiodd gofeb ar fur y capel bach i gofio am Cassie Davies a fu'n ffrind mor agos iddi. Rwy'n siŵr ei bod yn gryn aberth i Marie fod yno y prynhawn hwnnw ond dyna fesur a gwerth ei theyrngarwch i Cassie a fu hefyd yn hybu ac yn ysbrydoli cenhedlaeth ar ôl cenhedlaeth yn y 'pethe' gorau. Bu gwasanaeth Marie yn gyson a diflino ac yn Eisteddfod Genedlaethol Dyffryn Lliw, 1980, nid oedd neb yn haeddu Medal Goffa Syr T.H. Parry-Williams yn fwy na hi. Yn ystod y tair blynedd ddiwethaf dirywiodd ei hiechyd yn gorfforol ond daliai'i hawyddfryd fel cynt. Bu Dai yn dŵr cadarn iddi yn ei gwaeledd a bu Mima hithau a'r wyrion yn ofalus ohoni hyd y diwedd. Cydymdeimlwn â hwy a wêl y bwlch ar aelwyd Gwynfil.

I ddaear Llwynpiod y dychwelodd – mangre a fu'n annwyl ganddi, man dechrau'r daith. Gallai ganu, yn gwbl ddiffuant fel Cynddelw:

'Af yn ôl i fy nylaith.'

Glyn Ifans

Mrs James Post

'Wyt ti wedi dysgu'r emyn 'na erbyn y gorlan ddydd Sul?' Llais fy mam eto.

'Bron â bod Mam.'

'Wel, bydda i'n gweud wrth Mrs James dy fod di ddim yn treial.'

'Ond Mam, ma' gêm ffwtbol 'da fi prynhawn 'ma.'

'Wel, gwêd ti hynny wrth Mrs James fory.'

Dyna, yn gynnar iawn yn fy mywyd, sut y de's i i adnabod Marie James gyntaf. Mrs James i ni'r plant, a Mrs James fu hi i mi byth oddi ar y dyddiau cynnar hynny.

Roeddwn yn blentyn yn Ysgol Gynradd Llangeitho ac yn mynd i'r Ysgol Sul yn Llwynpiod. Roedd Mrs James yn cario plant i Ysgol Llangeitho ac yn athrawes Ysgol Sul yn Llwynpiod. Nid oeddwn i'n cael fy ngharío'n swyddogol ganddi, gan nad oedd y pellter o'm cartref i'r ysgol dros ddwy filltir a hanner, er hynny ce's fy ngharío lawer tro ar foreau stormus, p'run a oedd lle yn y car neu beidio. Roedd mantais ac anfantais i hynny, y fantais wrth gwrs oedd peidio gorfod cerdded a gwlychu, a'r anfantais oedd gorfod dweud rhyw ddarn ar eich cof erbyn dydd Sul neu Gymanfa Bwnc a Chymanfa Ganu. Bydde cael gwlychfa wedi bod yn llai o dreth yn y pen draw!

Dyna fel y bu hi ar hyd y blynyddoedd, yn ein cymell i wneud hyn a'r llall. Doedd dim gwrthod i fod. Rhoddodd o'i dawn fel athrawes Ysgol Sul i genedlaethau o blant a phobl ifainc. Dysgodd ni i ddilyn sol-ffa, i ddysgu ar y cof ac i actio storïau o'r Beibl. Ysgrifennodd ugeiniau o gwestiynau wrth ein paratoi ar gyfer arholiadau yr Ysgol Sul a'r cystadlaethau cwis wedi hynny. Yn wir, aeth rhai ohonom drwy ambell gwis heb ddarllen y llyfr, dim ond wedi darllen cwestiynau Mrs James – a chael marciau llawn!

Wrth edrych yn ôl a chofio ei brwdfrydedd a'i hegni gyda'r 'pethe', sylweddolaf gymaint a wnaeth a chymaint fu ei dylanwad arnom yn Llwynpiod. Nid oeddem bob tro yn cydweld ynglŷn â rhai syniadau, ond ni ddigiai Mrs James. Yn wir, ymhen fawr o dro roeddech wedi cytuno i wneud yr union beth yr oeddech yn dadlau yn ei erbyn ychydig ynghynt! Roedd ganddi'r ddawn i weld problemau cyn iddynt godi, a chynlluniai i'w hosgoi heb yn wybod i neb. Fel y gŵyr pobl Llwynpiod, nid oedd y gair 'na' yn rhan o'i geirfa a châi bobl i wneud tasgau na fyddent erioed wedi meddwl eu cyflawni.

Roedd hi'n gystadleuydd brwd, yn enwedig yn y cystadlaethau cwis llyfrau. Doedd dim colli i fod. Cofiaf amdani yn troi ambell holwr nad oedd mor hyderus â'i gilydd i ailystyried y marciau, ac yn cael llawer o hwyl wrth wneud hynny. Roedd yn hoffi sbort a thynnu coes a gwnâi benillion i nodi rhyw ddigwyddiad trwstan neu ddoniol yn aml. Amlygodd garedigrwydd tuag at lawer yn dawel a disylw. Cariodd lwythi o blant i rihyrsals canu ac i ymarferion eraill, heb dalu sylw i'r cyfyngiad ar y llwyth yr oedd hi'n ei gario yn ei char; roedd lle i ragor o hyd, ond i ni beidio â dweud wrth Dai – Dai James ei phriod.

Beth oedd yn sbarduno'r ddynes yma i roi cymaint o'i hamser a'i hegni i'r 'pethe' a hithau'n bostfeistres, yn cynorthwyo gyda'r busnes bysiau, yn flaenor yn ei chapel a chynghorydd sir ac eto yn trafferthu gyda ni yn blant ac ieuenctid anystywallt?

Dau beth mi gredaf. Roedd hi'n ddynes gref o ran corff ac iechyd, ond yn gryfach o ran argyhoeddiad. Credai yn yr hyn a wnâi, a mwy na hynny hyd yn oed. Roedd hi'n fodlon 'gwitho' ei hunan. Ceir digon o bobl sy'n siarad a dadlau dros bwysigrwydd bro, iaith a diwylliant, ond prin yw'r rhai hynny sy'n fodlon ysgwyddo peth o'r cyfrifoldeb i ddiogelu'r gwerthoedd hynny. Nid felly Marie James. Fe 'withodd' hon ac fe ofalodd fod 'na eraill yn 'gwitho' gyda hi. Yr her i ni nawr yn Llwynpiod a phob Llwyn arall yng Nghymru yw sicrhau parhad y gweithgareddau a lafuriodd Marie James mor ddygn drostynt ar hyd y blynyddoedd.

'Mam, ti'n meddwl fydd Mrs James yn fodlon i fi ddarllen yr emyn 'ma fory?!'

C. Vaughan Evans

Y Cynghorydd

Mae ambell gynghorydd yn awel iach, yn dod â lliw ychwanegol i fyd llywodraeth leol. Yn ôl yn y 1970au yn Nyfed, roedd Marie James yn un o'r rhai hynny. Nid am ei bod hi'n un o ddim ond llond dwrn o fenywod, nid am ei bod hi'n cynrychioli Plaid Cymru, ond oherwydd ei ffraethineb a'i hymroddiad tros y Gymraeg a'r ardaloedd gwledig.

Bûm yn cyd-weithio â hi am tua deng mlynedd a'r hyn sy'n aros yn y cof yw ei hareithiau tanllyd. Hyd yn oed os oedd cynghorwyr eraill yn anghytuno â hi, roedden nhw'n hoff o'i chlywed hi'n siarad. Ac roedd hi'n areithio yn y Gymraeg mor aml â phosibl, cyn bod sôn am offer cyfieithu ar y pryd. Hi, yn gymaint â neb arall, a sicrhaodd fod y Gymraeg yn cael ei defnyddio yn naturiol o fewn Cyngor Sir Dyfed.

'Dyle fod gas 'da chi, Dafis bach, yn peidio â siarad Cymraeg heddi 'to.' Gallaf glywed ei llais yn glir yn dweud y drefn ar ôl rhyw gyfarfod neu'i gilydd. Er na allaf gofio beth oedd fy ymateb ar y pryd cafodd ei geiriau effaith yn y tymor hir, a hi a sbardunodd yr alwad am offer cyfieithu ar y pryd.

Roeddwn i a phawb arall wedi clywed am Marie James cyn iddi ddod i'r Cyngor. Roedd hi'n adnabyddus fel siaradwraig a chymeriad cyhoeddus.

Roedd hi'n fwy na chymeriad pwysig yn ei hardal a'i dylanwad yn cyrraedd ymhellach na ffiniau Dyfed. Ond roedd hi'n adnabod ei hardal hefyd. Rwy'n cofio sawl sgwrs tros ginio a hithau'n siarad am hwn a'r llall, gan wybod hanes cylch Llangeitho a hynt a helynt pawb.

Roedd yr un cariad at ei hardal i'w weld yn ei phryder am gymdeithasau cefn gwlad, y math o gefndir yr oedd hi'n esiampl ohono. Roedd hi'n gweld yn ei bro y pethau oedd yn bwysig i Gymru ac roedd hi'n digalonni'n aml o weld dirywiad y Gymraeg yn Llangeitho fel pobman arall.

Gwnaeth safiad cadarn iawn ar hyd y blynyddoedd tros ysgolion cefn gwlad. Rwy'n ei chofio'n siarad yn gryf, er enghraifft, adeg y frwydr tros ysgol fechan Cofadail. Cau a wnaeth honno yn y diwedd ond nid oherwydd diffyg ymdrech ar ran Marie James. Roedd hi'n siarad yn blaen ac hyd yn oed os nad oedd hi'r diplomat mwyaf erioed, doedd neb yn amau ei bod hi'n ddidwyll a gonest. Roedd hi bob amser yn awchus i ddadlau dros yr hyn a oedd mor agos at ei chalon ac, ar ei gorau, nid oedd yr un bargyfreithiwr mwy effeithiol.

Bûm yn cyd-weithio gyda hi hefyd yn nyddiau cynnar yr asiantaeth ddatblygu economaidd – Antur Teifi, ac rwy'n cofio un o'r cyfarfodydd yn ei chartref. Roedd ei gwaith yn y cyd-destun hwnnw yn dangos yr un ymroddiad tros ardal ac iaith. Roedd sawl peth yn ei gosod mewn dosbarth ar ei phen ei hun a'r nodweddion amlycaf oedd ei gonestrwydd a'i gwleidyddiaeth di-droi-'nôl.

Ar lawer ystyr, roedd hi'n fenyw o flaen ei hoes. Erbyn heddiw, gyda llawer mwy o bobl yn ymwybodol

Yng nghinio'r etholwyr
(Mai 18fed, 1985)

David, Jemima a Marie Jones

Marie a Dai gyda Mima a'r teulu

Y Swyddfa Bost, Llangeitho

Marie a Mrs Anne Griffiths tu ôl i gownter y Swyddfa Bost, a Chardi y ci yn gwarchod!

Gwynfil, lle treuliodd Marie a Dai eu hymddeoliad, o fewn tafliad carreg i sgwâr Llangeitho

Staff cwmni bysiau D. James, Llangeitho (pan oedd Dai yn ymddeol yn 1980)

Ysgol Sul Llwynpiod gyda Marie,
Hugh Blackwell a Dan Williams

Mwy o ddisgyblion yr Ysgol Sul

Marie wrth yr organ newydd yn Llwynpiod yn 1979. Prynwyd yr organ hon er cof am un o ddisgyblion yr Ysgol Sul – Dave Blackwell, Trewaun, cerddor addawol iawn a fu farw yn 1979.

Marie yn cyflwyno llyfrau i Non Vaughan Williams, Rhagfyr 1992. Gadael i briodi yr oedd Non – roedd hi hefyd wedi ennill Coron Eisteddfod yr Urdd. Roedd clod i unrhyw ddisgybl o'r Ysgol Sul yn fodd i fyw i Marie.

Clwb Ffermwyr Ifanc Llwynpiod yn y pedwardegau

Cyfnod y cwisiau llyfrau

Carnifal Llangeitho – roedd pob cerbyd yn y cyffiniau yn cael ei ddefnyddio! Byddai Marie yn trefnu bod pob jac-wan yn cymryd rhan gan gynnwys tua deg tableaux *ar gambos a loriau.*

Marie a Mrs Morgans, Bronwydd, 'Tra bo dau' yn un o'r carnifalau

Marie fel 'Dandi' mewn un carnifal

Cinio Llwynpiod. Byddai trefnu trylwyr – cwisiau a chwaraeon – ar gyfer yr achlysur hwn bob blwyddyn.

Dathliad Merched y Wawr Llwynpiod yn ddeg oed

Parti pen-blwydd Miss Cassie Davies yn 90 oed, ddydd Sul, Mawrth 20fed, 1988, yng nghartref Bryntirion, Tregaron

CASSIE DAVIES
1898 Caetudur 1988
BLAENOR YM MLAENCARON AC
AROLYGWR YSGOLION CYMRU.
BU'N HWB I'W BRO A'I GWLAD
Gosodwyd gan Gangen Plaid Cymru
Tregaron a'r cylch.

Sefydlwyd pwyllgor lleol i drefnu Cronfa Goffa Cassie Davies M.A. a chyfranwyd £1,135.00 gan garedigion o bob rhan o Gymru. Cyflwynwyd yr arian i'r Eisteddfod Genedlaethol a defnyddir y llog blynyddol i roi gwobr er cof am Cassie yn yr Eisteddfod.
(O'r chwith: Mr Emyr Jenkins, Cyfarwyddwr yr Eisteddfod; y Parch. A. Wynne Edwards; Mrs Catherine Hughes, Ysgrifennydd y pwyllgor; Dr Dan Rees a Marie James, Cadeirydd y pwyllgor.)

Ymgeisydd am sedd ar Gyngor Sir Dyfed, 1976

Dr Gwynfor Evans yn cyflwyno plât pren a gerfiwyd gan Hywel Dafis i Marie, Mai 18fed, 1985 pan orffennodd ei gwaith gyda'r Cyngor Sir

BRENHINIAETH MARIE
PONTRHYDYGROES
LLEDROD
YSTRADMEURIG
SWYDDFFYNNON
TYNREITHYN
BLAENPENNAL
BRONNANT
PENUWCH
TYNCELYN
LLANGEITHO
TREGARON
PONTRHYDFENDIGAID
BLAENCARON
GORSNEUADD
CWMBERWYN
LLANDDEWI BREFI
LLWYNGROES
BWLCHLLAN

Llywydd y Dydd yn Eisteddfod Genedlaethol y Rhyl ar y prynhawn Llun, Awst 1985

o bwysigrwydd amddiffyn y Gymraeg, mae'n sicr y byddai llawer rhagor wedi gwrando arni nag oedd yn fodlon gwneud ar y pryd. Nid arni hi oedd y bai am hynny.

Profiad ac anrhydedd eithriadol oedd cael ei hadnabod, ac yn fwy fyth cael cyd-weithio â hi.

D.G.E. Davies

Penigampwraig

'Dydw i ddim yn berson anturus,' oedd sylw Marie amdani hi ei hun yn ystod cyfweliad radio gyda mi yn 1978. Sylw bach digon cellweirus, oherwydd dyna'r cyfnod pan oedd hi fel pe bai yn ei hanterth fel mam, postfeistres, cynghorydd sir, diacon, athrawes ac arweinydd cymdeithasau di-ri, heb sôn am ofalu am ei gŵr – Dai, y bysiau a'r deuddeg gweithiwr.

Doedd hi ddim yn hoffi mentro dros unrhyw ffin ddaearyddol. Yr oedd Caerfyrddin yn bell, yr oedd Caerdydd yn ddieithr ac yr oedd croesi Pont Hafren yn peri hunllef a hiraeth. Y darn tir o gwmpas Llangeitho a dyffrynnoedd Teifi ac Aeron oedd ei chynefin. Bod gyda'i phobl, bod yn rhan o gymdogaeth wledig gynnes Gymraeg.

Cyfweliad Saesneg oedd hwn. Yr oeddwn wedi ei pherswadio i sôn am ei chefndir a'i phrofiadau er mwyn i wrandawyr *Radio Wales* gael profi rhin a swyn ei chymeriad. Yr oedd sgwrsio gyda Marie mewn iaith estron yn brofiad rhyfedd a dieithr, ond yn ôl ei harfer roedd hi wedi paratoi ei meddyliau ymlaen llaw. Yr oedd ei syniadau mewn trefn. Ar y darn papur o'i blaen, nodyn i'w hatgoffa am ambell stori ysgafn i amlygu neu danlinellu pwynt, a cholofn o eiriau mawr Saesneg wedi eu hysgrifennu mewn llythrennau bras,

'Rhag ofan aiff pethe'n drech na fi.' Wrth gwrs, doedd dim posib i'r gynulleidfa radio honno brofi y bwrlwm geiriol dianadl a oedd mor nodweddiadol ohoni yn y Gymraeg, ond pan ailddarlledwyd y cyfweliad i gynulleidfa ehangach ar Radio 4, bu'r ymateb gan feirniaid radio y papurau cenedlaethol yn werthfawrogol. Wedi sylwi ar ei ffraethineb a bod ei hatgofion am bwysigrwydd gwreiddiau a balchder yn ei chenedl yn dreiddgar a grymus.

Y tro cyntaf imi ddod ar draws enw Marie James oedd yn Ysgol Ramadeg Tregaron, ddeugain mlynedd yn ôl, wrth baratoi'r rhaglen yn y gyfres Bro Mebyd ar gyfer 'Awr y Plant'. Yr oeddem wedi dewis wyth plentyn i gymryd rhan ac yn eu plith roedd merch ddrygionus, ddireidus, siaradus, talp o bersonoliaeth naturiol Sir Aberteifi gydag ateb i bopeth a hithau yr adeg honno, os cofiai yn iawn, ddim ond yn dair ar ddeg mlwydd oed.

'Y'ch chi'n gwybod pwy yw hi?' gofynnodd Mr Jenkins y Prifathro. Heb aros am ateb aeth ymlaen, 'Merch Marie James Llangeitho.'

Doedd dim angen ychwanegu a chwilio am berthynas a thras. Yr oedd y darlun yn gyflawn a Meima James mor amlwg yn ferch i'w mam.

Ychydig dros ddeng mlynedd yn ddiweddarach cefais yr hyfrydwch o gael cwmni cyson Marie a'r pedwar Cardi unigryw arall pan lansiwyd y gyfres radio 'Penigamp'. Jacob Davies y Cadeirydd, Cassie Davies, Dic Jones a Tydfor Jones. Y syniad oedd ceisio dod â sŵn hwyl a chwerthin yn ôl i fyd radio wedi blynyddoedd hesb y chwedegau. Newidiwyd patrwm oriau darlledu trwy roi mwy o raglenni yn ystod y boreau yn hytrach na gyda'r nos. Dyma weld dechrau cyfresi hirhoedlog fel 'Bore Da' (T. Glynne a'i gloc ar y wal), 'Wythnos i'w Chofio', 'Merched yn Bennaf' a 'Penigamp'. Recordiwyd y rhaglen gyntaf yn neuadd bentref Penrhiwllan ac fel hyn yr agorwyd y noson, gyda Dic yn darllen ei bennill cyfarch:

Mae Penrhiwllan yr un fath â sosej,
Pentre hir cam main rhwng y dafarn a'r garej.
Sgwâr ar bob pen a neuadd yn y canol
A nyrs mewn hat *cossack* yn bugeilio'r bobol.

Aeth chwa o chwerthin agored swnllyd drwy'r neuadd ac fel yna y bu hi am o leiaf bedair blynedd tan inni gael ein taro gan sydynrwydd a thristwch marwolaeth Jacob. Yr oedd y panelwyr yn adnabod ei gilydd yn dda, yr oedd yna gynhesrwydd wrth dynnu coes ac yr oedd parch tuag at y clyfrwch geiriol. Englynion Dic, rhigymau Cassie, areithiau Marie a phenillion talcen slip Tydfor. A chyn dechrau pob recordiad byddai Jacob yn adrodd y stori am y flwyddyn fawr, mil wyth saith tri, 'pan rewodd graffiti'!

Yr oeddwn i ar bigau'r drain y noson gyntaf honno, poeni am ymateb y gynulleidfa, pryd i osod y tasgau, amseru'r cyfan – manion waith y cynhyrchydd. Cyrhaeddodd Jacob yn brydlon am hanner awr wedi pump. Toc dyma Cassie a Marie yn cerdded i mewn trwy'r drws. Y ddwy yn smart rhyfeddol.

'Ma' Miss Davies wedi dod a *case* yn llawn dillad i chi gael dewis be sy' ore',' medde Marie a gosod y *case* mawr brown i lawr o 'mlaen i gan ychwanegu, 'Wedes i wrthi wrth inni basio trwy Llanwnen mai rhaglen radio oedd hon i fod. Oe'ch chi wedi gweud?'

Erbyn hyn yr oedd llygaid Cassie fel dwy farblen a'i hosgo awdurdodol di-droi-'nôl fel pe bai yn herio Marie. Yn y diwedd bu'n rhaid i mi egluro y sefyllfa ac fe aeth y *case* yn ôl i'r car heb ei agor. Llond pwl o chwerthin wedyn, ac wrth i'r gyfres fynd yn ei blaen daeth y ddwy yn ffrindiau agos, yn teithio gyda'i gilydd i bob man. Marie yn gyrru – 'Wy' ddim yn trysto Miss Davies wrth y *wheel* yn y twllwch.'

Ychydig o bobl a wyddai nad oedd Marie erioed wedi cael prawf gyrru heb sôn am ei basio. Yn ôl yr hanes, cafodd rhyw ddwy wers gan Dai yn fuan wedi iddyn nhw briodi, cyn cychwyn ar y daith trwy'r lonydd cul at ei gwaith yn y ffatri laeth ym Mhontllanio. Ar ddiwedd y dydd, i mewn i'r car unwaith eto, ond sylweddoli yn sydyn nad oedd Dai wedi dangos iddi sut i droi'r car rownd a defnyddio'r *reverse gear*. Yn y diwedd cafodd help dau o'i chyd-weithwyr. Codwyd y car gyda Marie yn eistedd yn urddasol ynddo a throi ei drwyn i wynebu Llangeitho.

Yr oedd y berthynas rhwng Cassie a Marie yn un glòs, â thipyn o dynnu coes o bryd i'w gilydd. Rhannu syniadau am y tasgau gan ddatblygu themâu ar gyfer y noson. Marie gyda'r hynawsedd a oedd mor nodweddiadol ohoni yn dangos parch rhyfeddol tuag at ddawn ac ysgolheictod Cassie.

'Inspector ysgolion fuodd hi i fi am flynyddoedd,' medde hi un tro, 'a fedra' i ddim ei galw hi yn Cassie. Miss Davies ydw i'n ei galw hi bob amser.'

Yr oedd gan Marie barch at ysgolheictod. Soniodd fwy nag unwaith wrtha' i gymaint y byddai wedi mwynhau y cyfle i ddilyn cwrs Cymraeg a Hanes yn y brifysgol yn hytrach na *Diploma in Dairying*!

Treuliodd ei bywyd yn llenydda wrth gwrs, yn

astudio ac yn ehangu ei gorwelion. Wedyn ceisiodd roi arweiniad i eraill, yr ifanc a'r hen, i fanteisio ar bob cyfle i ddarllen ac i drafod.

Os oedd yna deimlad o ansicrwydd a swildod yn perthyn i'w chymeriad, yr oedd ei rhadlonrwydd, ei chyfeillgarwch a'i gofal yn mynwesu pawb o fewn cyrraedd. Yr oedd y siwrneiau bob pythefnos i neuaddau bach y wlad yn fwrlwm o glebran a storïau am ddigwyddiadau, iaith a diwylliant Cymru. Seiat ar olwynion gyda Marie wrth y llyw a Jacob a Cassie yn y cefn yn traethu. Yn ôl Marie yr oedd y filltir neu ddwy gyntaf ar ôl gadael Cwm Tudur, Tregaron yn dilyn yr un patrwm bob noswaith:

Cassie yn dechrau twrio yn y bag o'i blaen. 'Ddos i â'r ddwy faneg gen i, Marie?'

Wedi gadael y neuadd ar ddiwedd y noson ar ôl gwledda'r cacennau, brechdanau a'r bara brith, yr oedd y patrwm yn cael ei ailadrodd. Cassie a'i thrwyn yn y bag, Marie yn rhoi sbectol ar ei thrwyn, setlo wrth yr olwyn ac yna'r cwestiwn arferol o'r tywyllwch, 'Y'ch chi wedi gweld y faneg, Marie?'

Fe ddywedodd Marie unwaith fod neuaddau Sir Aberteifi yn llawn o fenyg colledig – 'Rhai Cassie debyg iawn!'

Yr oedd Marie'n berson trefnus. Gwneud yn siŵr ei bod hi wedi paratoi. Gwneud yn siŵr fod y bobl dan ei gofal yn y car yn cyrraedd yn brydlon. Ond doedd dim dal ar Dic a Tydfor. Ambell dro byddent yn cyrraedd funudau cyn cychwyn recordio.

'Roedd buwch wedi dod â llo.'

'Roedd y lorri *gake* o'r Co-op wedi cyrraedd am bedwar.'

'Fe aeth y godro ymlaen yn hirach nag arfer

oherwydd heffer ifanc a oedd yn tyfu i fod yn dipyn o gicer.'

Doedd dim pall ar y rhesymau a'r esgusodion, ac un noswaith yn Rhydaman gyda neuadd lawn o bobl, doedd dim sôn amdanyn nhw o gwbl am hanner awr wedi saith. Ffônio y Gaerwen a chlywed bod y ddau wedi 'gwneud mistêc am y dyddiad'. Fe drodd *pick-up* Tydfor yn *Formula One Racer* y noson honno tra bod Jacob, Cassie a Marie yn diddori'r gynulleidfa am awr. Cafodd pobl Rhydaman wledd wrth wrando ar y tri yn tynnu o'u profiadau gyda stôr o storïau digrif a difrif.

Cadwodd y tîm gyda'i gilydd trwy gydol y cyfresi. Ni fu raid llenwi bwlch hyd yn oed pan gafodd Marie driniaeth lawfeddygol ar ei choesau ychydig ddyddiau cyn y dyddiad recordio. Yr oedd cerdded yn boenus a llafurus.

''Sdim gwahanieth,' medde Jacob, 'fe fydda i yn dreifio ac fe gaiff y bois eich cario chi i mewn i'r neuadd a'ch gosod chi ar y llwyfan.' Cytunodd Marie. Yr oedd hi mewn dwylo gofalus, ac yn festri capel y Barri cariodd Dic a Tydfor eu llwyth parchus gyda Marie fel Maharini Bendefigaidd yn derbyn clod ac anrhydedd ei phobl. Soniodd neb am bwysau, ond fe glywais lais dwfn o rywle yn dweud, 'Y'ch chi fel pluen yn ein dwylo ni.' Doedd hi ddim wrth gwrs. Yr oedd Marie yn ddynes lawn ym mhob ystyr. Daliadau cadarn, gweithgar yn ei bro, cadw'r aelwyd yn gynnes, athrawes ddiwylliedig a thrwy'r cyfan, hiwmor iach yn dod i'r wyneb yn gyson. Yr oedd hi'n arweinydd naturiol. Yr oedd popeth yn bosib. Ond yr oedd colli'r iaith a'r gweithgarwch Cymreig, capelol yn y cymdeithasau gwledig yn loes i'w chalon. Rwy'n cofio bod yn rhan o noson yn Neuadd Felin-fach pan ddywedodd y cadeirydd:

'A sylwoch chi, ma' Shir 'Berteifi wedi bod yn dawel iawn ers rhyw dair wythnos. Y'ch chi'n gwybod pam? Weda' i wrthoch chi . . . Ma' Mari Jâms wedi bod lawer yn y Sowth!'

Wedi dyddiau 'Penigamp' derbyniais sawl llythyr ganddi yn nodi achlysur neu ddigwyddiad. Yr oedd y cysylltiad yn bwysig ac er i wendid corfforol y blynyddoedd diwethaf sugno'r egni, yr oedd y meddwl yn glir, y cof heb bylu ac ar adegau, y clyfrwch geiriol wrth ymateb i gwestiwn yn rhyfeddol. Ac yr oedd yr hynawsedd diymffrost yn disgleirio'n gyson.

Dair blynedd yn ôl wrth geisio rhoi help llaw i Radio Ceredigion, clywais sôn fwy nag unwaith am athro drama dawnus o Ysgol Penweddig a fyddai yn siŵr o wneud darlledwr. Dyma gyfarfod Dafydd Morse o'r Sowth. Talp o gymeriad, yn gyfathrebwr naturiol ac wrth i'r sgwrs rhyngom ddatblygu ac yntau yn cytuno i gymryd slot cynnar bob bore Sadwrn, dyma fe'n dweud, 'Ma' Mam-gu yn cofio atoch chi.'

Ei fam-gu, wrth gwrs, oedd Marie James.

Bydd dylanwadau'r gorffennol yn sicr o loywi gweithgarwch y dyfodol yn y gornel hon o Gymru.

Teleri Bevan

Merched y Wawr

Hi yw'r graig i ni'r gwragedd, – hi yw sail
Solet ein gweithgaredd
Mam bro yw ym mhob rhyw wedd,
Ei harweiniad yw'n rhinwedd.

Ar y Cyngor

Cefn y gwaith yn Llangeitho, – a'i hysgwydd
Wrth bob tasg a fyddo,
A'i harwyddair, – hyrwyddo
Y Gymrâg ple bynnag bo.

Y Cwis Llyfrau

Timau cwis llyfrau yn llu – a lanwodd
O luniaeth, a'u dysgu,
Llyw trwyadl pob cystadlu
Â nyth o hwyl yn ei thŷ.

Yr Ysgol Sul

Mae'n dod â losin inni – o'i siop
I'r ysgol Sul ganddi,
Fyth stŵr, ac weithie stori, –
Neis iawn iawn yw Miss i ni.

Yn y Capel

Diollwng law diwylliant, – a'r awen
A fu'n creu'n hadloniant,
Llaw gabal organ moliant,
A thŵr plwy ym mhethau'r plant.

Dic Jones

Peth o gynnyrch Marie ar y rhaglen 'Penigamp'

Tarddiad yr enw Alltyblaca

Flynydde lawer yn ôl, fe ddaeth 'na ddyn o Ben Llŷn, o ymyl Aberdaron, lawr i fyw i ardal Llanybydder. Dod lawr yno i dyfu riwbob wnaeth e; roedd e wedi clywed am ffair geffylau enwog Llanybydder, a phenderfynodd mai dyna'r lle delfrydol i gael digon o achles i dyfu riwbob da. Ac yn wir, gwir oedd y peth; roedd yn cael riwbob ardderchog, a hwnnw'n riwbob cynnar, a dyna lle bydde fe yn mynd lawr i'r De i'w werthu. Fe fydde coese'r riwbob o'dd ar ôl yn tyfu'n rhai mor gryfion ac mor fawr, fel y byddent yn cael eu gwerthu fel postis i'w rhoi yn y cloddie. Gyda llaw, roedd y dyn 'ma yn byw yn y tŷ lle mae'r Parch. Jacob Davies yn byw nawr; dyna pam mae Jacob mor dda am wneud *rhyw-bob* peth. Wel, roedd popeth yn mynd yn dda iawn, ar wahân i'r ffaith fod Ifan Roberts a phobol Llanybydder yn cael tipyn o anhawster i ddeall ei gilydd, achos roedd hynny cyn dyddiau Cymraeg Byw. Beth bynnag, ymhen rhyw ddwy flynedd, fe aeth yn rhyfel cartrefol, a'r gwartheg godro yn yr ardal achosodd y trwbwl i gyd. Fe ffeindiodd un o'r gwartheg fod riwbob yn beth ffein i'w fwyta, a thrwy gyfrwng y Mŵ-Mŵ Code, fe roddodd hi wybod hynny i wartheg yr ardal i gyd. A dyna lle bydden nhw, yn fintai fawr, ar ôl amser godro bob bore, yn camu dros bob perth at y targed, y riwbob, ac yntau Ifan yn eu herlid nhw, ac yn gweiddi – 'Ewch allan y blacs'; dyma'r gair a ddefnyddiai i ddangos ei ddig at rywun. Yn waeth na dim, fe aeth y gwartheg i odro llaeth gwyrdd, a hwnnw mor sur, ac yn blasu mor gryf o riwbob, fel eu bod nhw'n gorfod rhoi siwgwr ar 'i ben e cyn 'i yfed; gyda llaw, dyna lle dechreuodd yr arfer o wneud *milk shake*. Yn y diwedd, roedd hyd yn oed y moch yn codi'u trwyne ar y llaeth, a phenderfynodd ffermwyr y fro i gael cwrdd cyhoeddus i drin y mater, a rhoi'r peth o flaen Ifan Roberts. Dyma John Jones y cadeirydd yn dechrau ei anerchiad yn ei Gymraeg mwyaf Cardïaidd. 'Dwy' i ddim yn gwbod o'r wheddel o ble ma'r dyn 'ma wedi dod, ond ma' fe'n tyfu rhyw ffrwcs rhyfedd. Ma' riwbob yn olreit mewn tarten, ond ma' hi'n mynd dros ben llestri pan b'och chi'n 'i ga'l e i frecwast, te a swper. Bobol fach, ma'r cwbwl wedi mynd yn gawdel bost, a ma'n rhaid i ni roi spocen yn 'i whilen e.' Alle Ifan Roberts ddal dim rhagor, a dyma fe'n codi ac yn gweiddi, 'Dwy' i ddim yn dallt y blac 'a.'

Posau

1. Rwy' i wedi bod yma am flynydde i chi'n gwmni,
   Ond mae dydd fy marwolaeth wedi ei drefnu;
   Ar y diwrnod hwnnw, daw fy chwaer i'r adwy –
   Fwy na dwywaith fy ngwerth, ond fe gewch chi farnu hynny.

2. Beth sy'n diheneiddio bob wythnos?

3. Ar dir neu ar fôr, af ar siwrne faith,
   A marc ar fy wyneb yn dangos hyd y daith.

4. Rwy'n ddauwynebog, heb ddweud unrhyw gelwydd,
   Ac yn dioddef fy nghnocio byth a beunydd.

5. Mae gen i frawd, wel, ry'n ni'n efeillied,
   Ac ry'n ni'n cysgu bob nos o dan bobo flanced;
   Blanced wen, a *fringe* ar 'i hochor
   Ddim o'r un lliw, – wel, weda' i ddim rhagor.

6. Sbilsen waela mas.

7. *Pin-cushion* ar gerdded.

8. Siwsi fach yw f'enw i,
   Ffrind i bawb, ar bwys y tŷ;
   Rhwng y toes yn dastis hynod,
   Ond yn elyn dannedd gosod.

9. Mae'n bleser fy ngweld yn disgleirio,
   Heb angen nerth penelin i rwbio;
      Ond fe roddai fy mherchen
      Fwy na chanpunt yn llawen
   Am gael cwrlid gwlanog i'm cuddio.

Atebion: (1) Ceiniog, (2) Dydd Iau, (3) Llythyr, (4) Drws, (5) Llygad, (6) Pregeth sych, (7) Draenog, (8) Gwsberen, (9) Pen moel.

Llên Lludw

Ysgrifennu llythyr at y Cyngor, i gwyno nad yw pobol y lludw wedi bod o gwmpas ers pythefnos.

11, Tyla Teg,
ABER-BIN.
Dydd Mercher y Lludw, 1970.

Mr Scavenger Jones,
Clerc Cyngor Llainllwch.

Annwyl Syr,

Roedd gyda ni gwrcath coch pert i gael ddoe; heddiw, 'ei le nid edwyn ddim ohono ef mwyach'. Ro'dd gyda ni fel teulu bobo sgadenyn i swper neithiwr, ac fe roesom yr esgyrn fel arfer yn y bin, honno y tu allan i'r tŷ ers pythefnos yn disgwyl y lorri sbwriel i ddod heibio. Does dim angen dweud ei bod yn orlawn. Fe aeth chwant a chwilfrydedd y gwrcath yn drech na'i gomon sens am y tro; fe dwriodd i'r bin, ac fe dagodd wrth lyncu asgwrn cefen y sgadenyn. Rwy'n anfon y bil i chi – gwerth y gwrcath ar ben y farced = £5, ac mae John ni'n dweud na fydd dim rhaid i ni dalu *Capital Gains Tax* arno.

Dwy' i ddim yn gwybod beth sy'n bod pam na fuoch chi heibio, p'un ai yw dynion y lludw yn y ffliw neu ar streic, ond credwch chi fi, mae yna le ofnadwy yn stryd ni. 'Dyn ni ddim wedi ca'l winc o gysgu ers wythnos. Cyn gynted â bod golau'r stryd yn mynd allan, mae cŵn y fro yn crynhoi i gymanfa'r bins. Agorir y cyfarfod gan glep y caeadon ar y tarmac; fe'i dilynir gan y *percussion band*, a thuniau *John West* a

Heinz Baked Beans yn arwain y gerddorfa. Erbyn i ni gyfarwyddo â hyn, a dechrau mwynhau'r melodi, fe ddaw brwydr y cŵn, oernadau a chyfarthiadau a bowiadau, nes bod pob seren yn mynd o dan gwmwl. Gorfod i John ni i godi echnos i wahanu Alsatian No.5 a Poodle No.3, a oedd yn ymladd am staes Mrs Jones No.4, gan gredu mai asgwrn blasus oedd, gan iddo fod yn y bin o dan y tun *corned beef*. Mae'n nerfau ni i gyd bron â mynd yn rhacs, ac ma'r drygist yn gwneud ei ffortiwn ar y pils ry'n ni'n gorfod 'u prynu.

A pheth arall i chi, ma' hen ysbryd cas wedi dod i'r stryd. Dyw Mrs Ifans No.6 a Mrs Defis No.7 ddim wedi cael clonc dros glawdd yr ardd ers wythnos, pob un yn gwadu nad hi oedd perchen y botel wisgi wag o'dd wedi cwympo allan o'r bin un diwrnod, ac ma'u gwŷr nhw yn edrych ar 'i gilydd fel tase Arab ac Iddew yn cwrdd ar lan y Môr Marw. Ma' Mrs Williams No.8 yn dannod i Mrs Huws No.9 ma' taflu'i hen set o ddannedd gosod i'r bin wnaeth hi, a dim 'u colli nhw pan gwmpodd hi i'r môr ym Mhorthcawl, fel y gwedodd hi er mwyn cael set newydd am ddim. Ma' pob sgerbwd wedi dod mas o'r cypyrdde i'r stryd, a do's gyda ni ddim cuddfan na chyfrinach mwyach.

Mae 'na ddamwain wedi digwydd hefyd. Ro'dd John No.10 wedi bod allan yn caru, ac am 'i fod e'n hwyr yn dod adre, ro'dd e'n dod yn nhra'd 'i sane, yn lle bod hen wraig 'i fam yn 'i glywed e. Fe roddodd gam gwag, ac fe a'th 'i sowdwl e'n sownd mewn pot jam oedd wedi cwympo allan o bin No.9. Gorfod galw'r doctor am un o'r gloch y bore, a dim yn unig ro'dd sowdwl John yn goch, ond ro'dd nes lan yn goch hefyd, erbyn i'w fam orffen ag e.

Dyna rai o'r pethe ry'ch chi wedi'u hachosi trwy

beidio crynhoi'r sbwriel am bythefnos yn stryd ni. Os na fyddwch chi wedi bod erbyn drennydd, fe fyddwn ni yn 'ych siwo chi; ma John ni yn dweud y gallwn ni wneud hynny yn ôl Deddf yr Iaith Gymraeg, am nad y'ch chi wedi rhoi dilysrwydd cyfartal i'n stryd ni â strydoedd eraill y dre. Credwch fi, ry'ch chi'n siŵr o edifarhau mewn sachliain a lludw.

Ydwyf, heb ragor o wast,
Mari Ash Grey-James.

Esbonio tarddiad yr enw Bow Street

Flynydde lawer yn ôl, pan oedd enw'r lle yn Nantafallen, roedd yna Saesnes gyfoethog yn byw yn y pentre. (Cymry cyfoethog sy'n byw yno nawr.) Roedd hi'n ddynes garedig, ac yn hoffi gwneud pethe ots i'r cyffredin; fe âi ar drip yr Ysgol Sul mewn côt ffyr, ac i'r Cwrdd Pregethu mewn sandalau. Roedd hi'n cadw dau gi – St. Bernard a pwdl; Dafydd oedd enw'r St Bernard a Goleiath oedd enw'r pwdl. Roedd hi'n gwneud dau ddiwrnod o un; fe godai am bedwar y bore, mynd i'r gwely am ddeg, codi wedyn am ddau y prynhawn, a mynd i'r gwely'r ail waith am ddeg o'r gloch y nos. Fel'ny, roedd hi'n cael cymaint ddwywaith allan o fywyd â phawb arall. Fe hoffai roddi ambell i syrpreis i'r pentrefwyr, fel eu gwahodd i gyd i de ar y lawnt yn hollol ddirybudd.

Rhyw ddiwrnod, roedd pobol y pentre yn gwybod fod yna dipyn o brysurdeb yn nhŷ Mrs Price, ac roedd y siopwr yn dweud ei bod hi wedi prynu dwsin o dorthe, a'r un faint o jeli a *blancmange*, a theimlai'r pentrefwyr yn siŵr eu bod yn mynd i gael trêt, ac y byddai'r alwad i de yn dod yn ddisymwth. Roeddent i gyd wedi gwisgo eu dillad gorau erbyn y prynhawn, ond dim yn digwydd. Tua pedwar o'r gloch, dyma nhw'n anfon rhyw grwt, o'dd dipyn bach mwy diniwed na'r cyffredin, draw ar neges i dŷ Mrs Price, i gael gweld a oedd te yn barod.

'Oh, no dear,' medde hithe, *'not for you to-day; come out on the lawn and see for yourself.'* Ac O! yr olygfa; roedd holl gŵn y pentre yno'n gwledda, y St Bernard a'r pwdl â phobo *serviette* o dan 'u gên; mastiff y gweinidog, Alsatian y plismon, Dalmatian y ficer, Pomeranian y doctor, a phob ci defaid o fewn y cylch. *'You see dear,'* meddai Mrs Price, *'this is Bow-Wow's treat to-day.'*

Penillion cyfarch i Mr Alun Edwards, Llyfrgellydd Sir Aberteifi

Fe gafodd hwn ei wreiddio
Yn nwfn yn naear Llanio;
Ni ddaeth ond ffrwythau gorau'r dydd
O bridd y ddaear honno.

Gamaliel ym myd llyfrau,
Ei ddelfryd yw, y gorau;
Yn Gymro glew, sy'n teimlo'r her,
Diderfyn ei syniadau.

Yr arian byw, aflonydd,
Ar flaen y gad mae beunydd;
I hwn, nid ennill arian rhwydd
Yw swydd fel llyfrgellydd.

Tu hwnt i gloriau llyfrau,
Fe welodd hwn bersonau,
A'u harwain wna, mewn dyddiau blin,
At rin y pethau gorau.

Arweinydd ei gyd-Gymry,
Rhown iddo'r clod mae'n haeddu;
'Gŵr mawr a gododd yn ein plith' –
Athrylith gwlad y Cardi.

Er Cof am Marie James (Mari Ceitho) Llwynpiod

Syrthiodd derwen i'r ddaear yn Ysbyty Tregaron
Ar yr ugeinfed o Hydref mil naw naw pump;
Bylchwyd Gwynfil a Thontêg yn strem y storom,
Siglwyd capel a festri Llwynpiod gan rym y cwymp.

Fe'i cofiwn gynt yng nghadernid ei dyddiau prysur
Yn y pentref ar waelod y rhiw; yn y tŷ, y llythyrdy,
a'r siop;
Doeth oedd ymadroddion ei gwefusau gwerinol
Wrth ymresymu'n rhugl heb na choma na ffwl-stop.

Hi oedd Archdderwydd ffraeth y cyfarfodydd llenyddol,
Hi oedd Meistres Gwisgoedd y trip i lan y môr;
Hi oedd Cofiadur y Cwis Llyfrau a'r Materion
Cyhoeddus,
Hi oedd wraig Benigamp â'i storïau yn stôr.

I fyny'r grisiau yn festri Llwynpiod fe ddysgodd
Genedlaethau o blant a phobl ifanc ar daith;
Dangosodd iddynt werthoedd yr hen dreftadaeth
Wrth feithrin Cerdd a Llên, a gwrteithio'r iaith.

Ni fydd y Dyddiadur Wythnos yn y Barcud mwyach
Ni ddaw galwad ffôn o fudandod y gro.
Pwy ddaw i sôn am helyntion teulu a chydnabod,
Ac olrhain achau cymhleth trigolion y fro?

Cerddodd at feini'r Orsedd i dderbyn anrhydedd,
Cafodd Fedal Goffa Syr Tomos ym mil naw wyth deg;
Ond er y croeso byddarol ar aelwyd y genedl
Ei blaenoriaethau oedd Dai, a'i theulu'n Nhontêg.

Canmolwn y ferch o Dal'rynn ger Rhydypandy,
Y wraig oedd fam a mam-gu a roddodd ei hoes
I wasanaethu ei thylwyth, ei chapel, a'i chymuned,
Ac arwain ei dosbarth Ysgol Sul at Ŵr y Groes.

W.J. Gruffydd

Teyrnged i Marie James

Mawrygaf y fraint o geisio cyflwyno teyrnged fer i'r diweddar Marie James, fel un a gafodd fod iddi'n weinidog am ychydig o flynyddoedd. Cyfyngir fy atgofion amdani i'r berthynas glòs a dyfodd rhyngom fel cyd-weithwyr y winllan y rhoes hi o'i gorau iddi ar hyd ei hoes.

Yn ein cartrefi yr ydym, bawb ohonom, yn ni ein hunain go iawn. Ar aelwyd y Gwynfil y byddai Marie James, y ddiddanaf o gwmnïwyr yr ardal hon, ar ei gorau. Ni chofiaf imi daro yno erioed a'i chael yn dal ei dwylo; wrthi y'i gwelid hi bob amser fel petai wedi ei geni â beiro yn ei llaw, a phapurau'n blith draphlith ar y bwrdd ac o gwmpas ei thraed. Daliai gyswllt â'i llu o'i ffrindiau drwy lythyru, gan dywallt ffrydlif o eiriau fel y gwnâi wrth lefaru. Digymar fu croeso ei chartref, a'i haelioni'n ddihareb. Gwnâi i chi deimlo mai chi oedd yr un a ddisgwyliai y diwrnod hwnnw, a byddai amser yn carlamu yn ei chwmni.

Rhyfeddais ganwaith at ystod ei gwybodaeth; darllenai'n eang gan drysori'r grawn a nithiwyd ar lawr dyrnu ei gweithdy. Am gyfnod buom yn mynychu dosbarth athronyddol yn Nhregaron o dan arweiniad yr Athro Walford Gealy. Erbyn hynny roedd ei hiechyd yn dechrau dirywio ond medrai wthio ei hun i ymgodymu â syniadau Descartes, Kant a Wittgenstein, i enwi ond tri ohonynt, o dan arweiniad ein hathro medrus. Ni phoenai neb yn fwy na hi am bobl eraill a thaenai yn ddi-oed gwr ei mantell dros y sawl a fyddai mewn cyfyngder.

Cofiaf alw un diwrnod, wedi i un a oedd yn annwyl iawn iddi hi a'i phriod farw, ac ni allai sôn am neb arall y diwrnod hwnnw ac eithrio cymdogion a pherthnasau, a chefais ymadael heb fy nghymell i aros yn ôl yr arfer. Roedd yn bur i'w ffrindiau a byddai'n rhannu eu pryderon i waelod ei henaid, a gellid yn hawdd fenthyca esgyll yr englyn buddugol yn Eisteddfod Bro Colwyn fel mynegiant o'i phrofiad hithau:

> Yn awr y llanw'n torri
> Dy ddeigryn yw 'neigryn i.

Bu'n gefn i bobl o bob oed ac yn arbennig ieuenctid y fro; yn hael ei chyngor a'i chefnogaeth yn allweddol yn eu gyrfaoedd. Er cymaint a gyfrannodd yn ei milltir sgwâr fe daenodd ei rhwyd tu hwnt i'r ffiniau hynny, a hoeliwyd clust y wlad wrth ei gwefusau drwy gyfrwng y radio. Ychydig cyn i'w channwyll ddiffodd clywyd ei llais ar Stondin Sulwyn; ni châi dim o bwys ei drafod ar y rhaglen honno heb iddi hi amddiffyn yr hyn a gredai ynddo. Gwyddys am ei argyhoeddiad gwleidyddol, ac ni symudai yr un ber ar y llwybr hwnnw i blesio neb, ond er iddi godi ei llais yn uchel weithiau, nid oedd ei dyrnod byth yn faleisus. Carwn bwysleisio un ffaith o'r pwys mwyaf. Ceir yn ei hardal nifer mawr o Saeson a gwnâi hi bopeth o fewn ei gallu i'w cymell i ddysgu'r iaith Gymraeg a'u cynorthwyo ym mhob ffordd, a chasglu eu plant, fel yr iâr ei chywion, i'r Ysgol Sul. Fe wyddai nad huodledd ar lwyfan oedd y cyfrwng pwysicaf i achub yr iaith, ond gweithgarwch bro.

Yr oedd iddi rhyw swyn rhyfedd mewn geiriau a dywediadau cefn gwlad. Yn ei gyflwyniad i lyfr gwerthfawr R.E. Jones – *Llyfr o Idiomau Cymraeg,* dywed yr Athro Thomas Parry,

'Yr wyf yn gobeithio y bydd pawb sy'n defnyddio'r Gymraeg o ddifri mewn sgwrs ac mewn ysgrifen yn rhoi lle i'r ymadroddion hyn yn eu hiaith er mwyn eu hadfer i'n hymwybyddiaeth ieithyddol ni fel cenedl.'

Byddai dywediadau fel y rhai a geir yn nwy gyfrol R.E. Jones yn britho sgwrs Marie James mor naturiol â dŵr yn rhedeg.

Galwais rhyw fore a hithau'n anhwylus, mewn poen, ac yn methu gwneud yr hyn oedd ar droed y bore hwnnw. Daeth i'r drws gan edrych yn syn arnaf, a cheisio gwisgo rhyw wên o groeso a dweud,

'O, Mr Edwards bach, chi sy' 'na. Dewch mewn, fe fyddwch chi'n deall – mae'r rels yn slic 'ma heddi.' Golygai hynny nad oedd yr hwyl yn rhy dda.

Cefais ar ôl hynny gopi ganddi o ddywediadau a geiriau a berthynai i ardaloedd dyffryn Aeron a fu'n eu cywain o bryd i'w gilydd, er dichon bod rhai ohonynt wedi crwydro o'u cynefin i ardaloedd eraill, a chyfri mai eiddo Aeron oeddent yn wreiddiol.

Rhof ychydig ohonynt yma fel cydnabyddiaeth o'i gwaith yn eu rhoi ar gof a chadw.

1. Do'dd gydag e ddim lefeleth (Dim syniad)
2. Cyn wired â bod yr Efengyl yn Ffos-y-ffin (Am fod i'r lle enwogrwydd crefyddol)

3. Wyddwn i ddim o'r wheddel nes o'dd y peth wedi digwydd (Dywed Marie James bod Syr Ifor Williams yn dweud bod y gair 'wheddel' yn debygol o fod yn tarddu o'r gair 'chwedl')
4. Ro'dd e'n racabobis (Mynd dros ben llestri)
5. Brathu'r gaseg wen (Rhywun a'i ffeithiau'n anfwriadol anghywir)
6. Garffed (Dywedir wrth blentyn, 'Dere i eistedd ar fy ngharffed i')
7. Llawer o'r peth sy'n chwythu sopynne ynddo fe (Un sy'n meddwl llawer ohono'i hun)
8. Mae rhyw hwrdd caglog ar gyfer pob hesben ffislog (Dyn salw ar gyfer pob dynes salw)
9. Hen grwstyn o ddyn (Dyn sych, diserch)
10. Mor denau â rhaca (Tenau iawn)
11. Eisiau sgwtsiel arno (Cosfa arno)
12. Hen whiret o fenyw (Menyw ddidoreth)
13. Wedi ei stofi'n ŵr bonheddig heb ddigon o wlân i orffen
14. Gwneud cymyche neu stramante (Gwneud ystumiau)
15. Dyn penefer (Dyn styfnig)
16. Wedi'i dal hi at ei styden (Yfed gormod)
17. Stabaldynad ynghanol pethau (Dim trefn)
18. Cael twll mewn cosyn (Cael siom)
19. Siwps yn yr annwyd (Annwyd trwm)
20. Teimlo'n wigil (Yn benfeddw)

Bu o'r cychwyn yn un o gynheiliaid *Y Barcud*, papur bro yr ardal hon, a rhoes gefnogaeth lwyr iddo a chyfrannu'n gyson er mwyn sicrhau ei barhad. Ers tro bellach bu ei ddarllenwyr yn edrych ymlaen yn eiddgar o rifyn i rifyn at ei cholofn 'Dyddiadur Wythnos'. Yn naturiol, byddai'n sôn llawer am ei theulu a'i ffrindiau, ond ni chollai'r cyfle i dynnu sylw at ddigwyddiad o bwys ar fap y byd. Nid oedd berygl iddi chwaith golli'r cyfle i chwipio, yn ei ffordd ei hun, weithredoedd a fyddai'n andwyo crefydd a diwylliant ein cenedl, a hynny ambell dro mewn un frawddeg gwta, gynhwysfawr. Dywedodd y Rabbi Jonathan Sacks fod y genhedlaeth hon wedi meithrin 'diwylliant dirmyg' sy'n gwawdio popeth da a phur a sanctaidd. Ni fu neb yn yr ardal hon yn fwy effro i hyn, na pharotach i sefyll dros egwyddorion a ystyriai hi yn rhan annatod o'n hetifeddiaeth na Marie.

Bu'n ffrind mynwesol i'r ddiweddar Cassie Davies a bu'r ddwy yn cyd-weithio llawer, a deuthum yn ymwybodol o adlais ac acenion brwdfrydedd y wraig ryfeddol honno yn Marie hithau hefyd. Un o eiriau mawr Miss Cassie Davies oedd 'gwreiddiau' a gellid priodoli'r un gair i agwedd Marie James at drigolion ei bro a'i chenedl, a rhoes o'i hamser a'i hynni i fwydo a meithrin y gwreiddiau na fuasai'n bosibl parhau'n genedl hebddynt. Nid oedd gronyn o dwyll na rhagrith yn yr hyn a lefarai neu a ysgrifennai; mynnodd ddweud y gwir costied a gostio.

Dyma ddyfyniadau byrion o'i 'Dyddiadur Wythnos' i brofi bod ei chrebwyll gyfled â'i pharodrwydd i ysgrifennu. Os oedd ôl brys arno ambell dro, fe ddigwyddodd oherwydd iddi fyw i gyfrannu'n helaeth i bawb a phopeth. Gofynnais filwaith, sut ar y ddaear y daeth i ben â chyflawni cymaint?

> Mawrth 1, 1994. Dydd Gŵyl Dewi unwaith eto. Aethom ein dau i Ganolfan Bryntirion yn Nhregaron, pob un â'i genhinen Pedr ar ei frest, ac yn y galon hefyd gobeithio. Cawsom ginio spesial

heddi, cawl ardderchog a phwdin reis, a phice amser te.

Tachwedd 19, 1993. Mwfflo lan heddi eto gan fod Mr Gwynt y Dwyrain heb orffen ei afael. Torrwyd y trydan i ffwrdd tua amser te a rhaid oedd chwilio am lampau paraffîn. Pa synnwyr ein bod yn gorfod ffônio tua Chwmbrân er mwyn cysylltu â'r Bwrdd Trydan? Cefais siarad â merch serchog yn siarad Cymraeg hyfryd – cofied pob un ohonom i sefyll ar ein sodle bob amser a hawlio cael siarad Cymraeg gyda byrddau fel SWALEC, BT, a.y.b.

Tachwedd 30, 1993. Cyllideb gyntaf Kenneth Clarke heddiw. Yr henoed a phobl ar incwm isel a'r di-waith fydd yn gorfod dioddef a thalu eto am y biliynau y mae'r Llywodraeth wedi'u crynhoi'n ddyledion. Yr hyn sy'n drist yw meddwl y gellid fod wedi arbed y ddyled fawr trwy fod yn ddarbodus a chynilo ble roedd eisiau – mae dim ond meddwl am y cwangos yn lle i ddechrau achub arian mawr . . . Teimlwn yn anfodlon na chodwyd y dreth ar gwrw, yn enwedig gan fod y Prif Weinidog ac eraill yn cyhoeddi y dylem fabwysiadu safonau moesol uwch; a dwedwch, mewn gwirionedd, beth sy'n achosi mwy o greulondeb a lladd a fandaliaeth nag alcoholiaeth a drygiau – pe bawn i'n Ganghellor trwy rhyw hap.

Hydref 2, 1993. Trychineb fawr yr wythnos oedd y daeargryn ofnadwy yn yr India, y gwaethaf o fewn hanes fel y deallwn a thua 35,000 wedi'u lladd a miloedd eraill yn dioddef. Gweddïwn dros y trueiniaid, ac rwy'n siŵr y byddwn yn barod i gyfrannu i liniaru ychydig ar y dioddefaint.

Ebrill 27, 1994. Roedd hi'n ddiwrnod pwysig iawn yn nhalaith De Affrig heddi – yr etholiad amlhiliol gyntaf erioed, a'r bobl ddu eu lliw yn cael pleidleisio am y tro cyntaf erioed – roedd ciw o tua milltir i fynd i un bŵth pleidleisio yn Johannesburg. Treuliodd Nelson Mandela 27 mlynedd yng ngharchar am weithio yn erbyn apartheid. Clod mawr iddo ef a De Clerke, arlywydd presennol De Affrig am fod y ddau mor ddoeth, gweithgar a chydwybodol. Boed i heddwch deyrnasu.

Ebrill 1, 1994. Mis arall eto a hen ddiwrnod gwlyb, oer a diflas, gyda chawodydd o gesair. Pan oeddwn yn ifanc cawn lawer o hwyl ar y diwrnod hwn, diwrnod Ffŵl Ebrill, yn twyllo hwn a'r llall. Rwyf wedi dod yn gallach erbyn hyn – tybed? Aeth Dai draw i mofyn Jennie Manaros, a bu hi yma trwy'r dydd, ac roedd yn hyfryd cael ei chwmni, a'i help yn glanhau. Ni fues yn sgrifennu dim heddi – gadael pethau fel'ny tan yfory. Dymuniadau gorau i chwi gyd yn ystod y mis hwn.

Wrth reswm roeddwn yn ei gweld yn amlach yn ei chapel nag yn ei chartref, ond gwn fod ffrindiau eraill a fu'n cyd-weithio â hi am flynyddoedd wedi ysgrifennu am ei chyfraniad i gapel bach Llwynpiod. Carwn i fynd ar drywydd ychydig yn wahanol, a thorri o dan y gweithgaredd hwnnw a chyffwrdd â'r haen o'i chymeriad a'i gwnaeth yn bersonoliaeth a fyddai'n llanw pob cornel o gapel a chymdeithas.

Nid o arferiad yn unig y bu'r wraig hon yn ffyddlon i'w chapel, er na ddylid diystyru arferion da, yn ôl Saunders Lewis. Mae'n wir i ddweud y byddai bob amser yn ceisio chwilio am resymau pe bai'r gynulleidfa'n llai nag arfer ar y Sul, ond faint ohonom ddeallodd ei gwewyr meddwl ac ysbryd am yfory ymneilltuaeth yng Nghymru? I lawer o bobl flaenllaw y cefais y fraint o egluro hyn wrthynt o bryd i'w gilydd, rhan annatod o'r diwylliant Cymreig yw addoli, ac i Marie James, er gwaetha'r diffygion i gyd, ein crefydd yw gwraidd y cyfan, a chredai Marie i waelod ei bod pe diffoddid y fflam honno y darfyddai holl olud ein diwylliant. B.T. Hopkins ofynnodd, 'Ba rin i bren heb ei wraidd?'

Ni fyddwn byth yn teimlo 'run fath yn y pulpud yng nghapel Llwynpiod os byddai Marie'n absennol, a hynny, nid yn unig oherwydd awgrym ers tro nad oedd ei hiechyd yn caniatáu'r ymdrech i ddod, ond am y byddwn yn colli ei gwrandawiad addolgar. Dôi hi i oedfa i geisio cyflawni hanfod gwir addoli – dod i roi a derbyn. Er ei hethol yn flaenor yn wyth ar hugain oed, eisteddai yn y sedd olaf un, ond dôi ymlaen i ganu'r organ os nad oedd neb arall wedi cyrraedd. Ni pharchodd neb erioed Weinidogion y Gair yn fwy na hi, ac yn enwedig ei gweinidog ei hun. Pe bai rhywun yn ddigalon ac yn poeni am rywbeth, ni allech gael neb gwell i roi clust i'ch cŵyn a gwn na fradychai gyfrinach am y byd. Pan fyddwn weithiau'n ceisio ffeindio fy ffordd i estyn llaw i rywun mewn gofid a geisiai ei guddio dros dro, fe wyddai Marie James yn well na neb am awr curo drws, a beth i ddweud; ond yn bwysicach na hynny, beth i beidio ei ddweud.

Treuliodd gryn dipyn o'i hamser yn rhan olaf ei

rhawd yn ôl a blaen yn yr ysbyty, naill ai yn Aberystwyth neu Dregaron. Roeddwn yn ymwelydd dyddiol ag Ysbyty Tregaron y dyddiau hynny am fod perthynas agos iawn i mi yno drwy'r amser. Rwy'n siŵr na fu neb 'run fath â hi yn Ysbyty Tregaron erioed. Roedd o gwmpas ei gwely yn debycach i ystafell mewn swyddfa – llyfrau, llythyrau a phapurau ym mhobman a bwrdd cyfagos i ysgrifennu. Byddwn i, a llawer un arall, wedi bod yn falch o'r cyfle i ddadfachu a chymryd hoe fach, ond nid un felly oedd hi.

Daliodd i lythyru ac ysgrifennu hyd y diwrnod olaf bron, a gwrando ar Radio Ceredigion 'run pryd. Dysgodd pob nyrs a fedrai rhyw lun o Gymraeg i'w siarad yn ei chwmni a gwn iddi fod yn glaf grasol a charedig.

Fe wyddai ers tro ei bod yn aredig y dalar, ac weithiau dôi rhyw we o rywbeth cyfrin a bair i berson gilio draw i'w hafan ei hun. Dro arall dychwelai'r wên a mesur o'r hiwmor oedd mor nodweddiadol ohoni. Fe'i mawrygwyd gan bawb a'i hadnabu'n iawn, a gennyf innau a gafodd y fraint o fod yn weinidog a ffrind iddi.

Ei Chenedl yn ei chyni – oedd ei gwaedd,
A'i gweddi daer drosti,
Cymorth pob câr fu Mari,
A'r Iôr oedd ei hangor hi.

Arthur Wynne Edwards

Rhai o emynau Marie

Mor anodd ambell waith
  Yw cario 'mlaen,
Ar ambell filltir faith
  Yw cario 'mlaen;
Heb unrhyw obaith gwyn,
A ffrindiau'r daith yn brin,
Mor anodd y pryd hyn
  Yw cario 'mlaen.

Ond er pob awel groes
  Rhaid cario 'mlaen,
Er profi llawer loes
  Rhaid cario 'mlaen;
Daw cyfle ym mhob man
I helpu'r gwael a'r gwan,
Ac er mwyn gwneud ein rhan
  Rhaid cario 'mlaen.

Fe ddaw hapusrwydd mawr
  Wrth gario 'mlaen,
Daw llonder lawer awr
  Wrth gario 'mlaen;
Daw puro wedi'r praw,
Daw heulwen wedi'r glaw
Bodlonrwydd i ni ddaw
  Wrth gario 'mlaen.

Ac fe ddaw nerth bob dydd
    I gario 'mlaen,
Cawn help ar lwybrau ffydd
    I gario 'mlaen;
Ceir balm i wella'r graith,
Ceir pleser yn y gwaith
A chymorth ar y daith
    I gario 'mlaen.

Tydi a deithiaist ar dy hynt
Dros lwybrau Galilea gynt,
Gan wylio'r ffermwr ar y ffridd
Yn taflu'r had i gol y pridd;
O! rho dy fendith ar yr had
A heuir heddiw yn ein gwlad.

Fe deimlaist wres y crastir poeth
Yn treiddio trwy'th sandalau noeth,
A phrofaist rin y gwyntoedd ir
Yn chwythu dros yr anial dir;
O! anfon eto megis cynt
I'n gwlad y chwa o'r nefol wynt.

Fe brofaist artaith lawer awr,
A'th wlad dan orthrwm Rhufain fawr,
A phrofaist eithaf poen a chur
Ar arw groes dan hoelion dur;
O! rho faddeuant gweddi'r groes
Yng nghalon Cymry, dan pob loes.

Yr Aramaeg, hen iaith dy wlad
Oedd ar dy fin yng ngweithdy'th dad,
A rhoddaist urddas, er pob cam
Ar drysor drud hen iaith dy fam;
O! nertha ninnau ar ein taith
Rhag bradu trysor gwiw ein hiaith.

Yn ôl dy arfer, meddai'r Gair,
Yr hyn a ddysgaist ar lin Mair,
I'r Synagog, y sanctaidd le,
Bob Sabath aet, mewn gwlad a thre;
Cyfeiria'n traed, O! Iesu gwiw,
Yn ffyddlon fyth i demel Dduw.

O Grist fab Duw clyw'n gweddi ddwys
  Am nerth i'th eglwys heddiw, –
I fod yn rymus gorff i Ti, –
  A'th fywyd yn ei llanw.
O! crea ni aelodau gwyw
  Yn dystion byw aberthol –
I'th ras di-drai a'th gariad drud
  At fyd mor anghrediniol.

Rho inni weld fel gweli Di
  Drueni'r byd a'i anrhaith;
A chlust a glyw ei boen a'i wae, –
  Cans yno mae ei obaith.
Gyfryngwr mawr rhwng Duw a dyn
  A gais bob un i'th Deyrnas,
Doed byd i gymod llawn a Thi; –
  Gwna ni'n gyfryngau addas.

Mrs Marie James

Mae'n anodd iawn mesur gwerth a dylanwad person sydd wedi aros ar hyd ei oes o fewn ei filltir sgwâr, ac yn arbennig felly os yw'r person hwnnw yn berson diwylliedig ac yn barod i ddefnyddio'i ddoniau i hybu pob math o weithgarwch yn y filltir sgwâr honno. Dyna'r rheswm pam na allwn fesur cyfraniad Mrs Marie James i'w chymdogaeth. Roedd ei milltir sgwâr hi yn wreiddiol yn cynnwys Llwynpiod a Stag's Head a Llangeitho, ond dros y blynyddoedd fe ledodd i gynnwys Cyngor Sir Aberteifi, Cyngor Sir Dyfed a Stondin Sulwyn, yn wir i gynnwys unrhyw beth oedd yn berthnasol i Gymru a'r Gymraeg a rhoddodd yn hael o'i hamser a'i hegni i'r cylchoedd hynny.

Gair ffasiynol yn Saesneg heddiw yw *enabler* – person sy'n hybu, yn sbarduno ac yn gwneud i bethau ddigwydd. Dyna, yn anad dim arall, oedd Marie James. Gwyddom ei bod yn llawer haws yn aml i wneud eich hunan na hyfforddi, dysgu a chefnogi eraill ond gwyddom hefyd na cheir cymdeithas fyw ac iddi ddyfodol oni fegir eraill i gyfrannu mewn gwahanol ffyrdd i fywyd y gymdeithas.

Byddai wedi bod yn llawer llai o drafferth i Marie James wneud mwy ei hunan, ond yn hytrach na hynny dewisodd roi cyfle gyda phob cefnogaeth (os nad yn wir gorchymyn yn aml!) i sawl cenhedlaeth ddatblygu eu doniau ac arfer eu sgiliau.

Un gornel o'r filltir sgwâr oedd Llwynpiod ble'i ganed ac y'i magwyd ac yno roedd capel Llwynpiod ble bu'n flaenor am dros ddeugain mlynedd. Yno mynnodd fod pawb o bob oedran yn cymryd rhan mewn oedfa ac Ysgol Sul a chymdeithas. Cornel arall oedd Stag's Head ac oddi yno y daeth teulu'r Pughiaid i fod yn gnewyllyn parti Noson Lawen o dan ei chyfarwyddyd, ac yn ddiweddarach gwnaeth yr un gymwynas wrth ffurfio Noson Lawen Aelwyd yr Urdd yn Llangeitho. Mae'n wir mai hi a fyddai'n llunio'r adroddiadau a'r sgetsus a'r caneuon actol – yn wir yr oedd fel peiriant yn eu cynhyrchu yn ôl yr angen – ond eraill a fyddai'n eu hadrodd a'u canu a'u hactio o dan ei chyfarwyddyd hi.

Nid hybu unigolion oedd ei hunig genhadaeth gan y byddai'n gwthio'r cwch i'r dŵr i roi hwb i bob math o weithgaredd megis papur bro, Merched y Wawr, Ysgol Feithrin, Pryd ar Glyd a'u tebyg. Ac wedyn dyna'i chenhadaeth ar y Cyngor Sir, yng Ngheredigion i gychwyn ac yn ddiweddarach yn Nyfed. Roedd hi yno yn enw Plaid Cymru ac yn cynrychioli ei milltir sgwâr i hybu addysg a diwylliant Cymraeg a phan fyddai hi'n codi i 'ddweud gair' yn Neuadd y Sir yng Nghaerfyrddin prin y byddai'r un ohonom yn chwennych tasg y cadeirydd i atal y llifeiriant geiriau.

Trwy gyfrwng radio a theledu cafodd y genedl gyfan gyfle i glywed y llifeiriant geiriau hynny yn diddanu ac yn mynegi barn, eto er mwyn hybu'r achos. Yr un fyddai'r llifeiriant wrth lythyru – y ddawn brin honno yn ein hoes ni, a gobeithio fod llawer wedi cadw'r llythyron a dderbyniwyd oddi wrthi. Maent yn drysorau.

Ei chymhelliad oedd ei chariad tuag at fro a chenedl, iaith ac eglwys a mynegwyd y cariad hwnnw hefyd mewn caredigrwydd a haelioni difesur. Cysgododd yn ddi-stŵr lawer un nad oedd amgylchiadau bywyd yn rhy garedig wrthynt gyda'i chyfarwyddyd a'i chymorth parod. Gŵyr pawb am ei chyfraniad yn yr amlwg – dim ond y rhai a brofodd o'i chysgod a ŵyr am ei daioni yn y dirgel. Fe drodd ei ffydd yn weithredoedd a dysgeidiaeth Llwynpiod yn wersi bywyd.

Mae'n anodd meddwl am Langeitho hebddi. Buom ni fel teulu yn gymdogion iddi am nifer o flynyddoedd ac wrth symud o Langeitho daeth gwacter mawr i'n bywyd, ond yr oedd hi fel ambell un arall yn diogelu'r cysylltiad. Bellach ni ellir disgwyl cyfarchiad na llythyr ac mae'r filltir sgwâr fel ninnau yn llawer tlotach. Mae yna wacter ar aelwyd y Gwynfil hefyd, lle teyrnasai hi fel brenhines ar y teulu estynedig, 'y Tontegs' chwedl hithau. Ond mae ganddynt hwythau fel eraill ohonom a gafodd fyw yn ei chysgod le i ddiolch ac i obeithio fod rhywfaint o'i brwdfrydedd heintus wedi glynu wrthym ninnau ac wrth rywrai sy'n dal i arwain yn ei milltir sgwâr hi.

Alun Creunant Davies

Er cof am Mrs Marie James,
Gwynfil, Llangeitho.

Mewn oes o gymwynasau – yn dawel
Bu diwedd adnoddau
A'i gwên fel heulwen yn hau
Rhoddion ei thrugareddau.

Yn ei hardal ei phurdeb sy'n agos
A'n hiraeth yw'r gofeb.
I hirdaith o gywirdeb
Un hael na fu'n wael i neb.

I.G. Evans

Cofiwch hefyd am Gyfrolau Coffa eraill Carreg Gwalch: